DEUTSCH ALS FREMDSPRACHE N

TANGRAM aktuell 3

Lektion 1–4

Kursbuch + Arbeitsbuch

von

Rosa-Maria Dallapiazza

Eduard von Jan

Beate Blüggel

Anja Schümann

unter Mitarbeit von

Silke Hilpert

Hueber Verlag

Beratung:
Ina Alke, Roland Fischer, Franziska Fuchs, Helga Heinicke-Krabbe,
Dieter Maenner, Gary McAllen, Angelika Wohlleben

Phonetische Beratung:
Evelyn Frey

Beratung für die Tangram aktuell-Bearbeitung:
Axel Grimpe, Goethe-Institut Tokyo
Monika Reimann, Goethe-Institut München
Andreas Werle, Goethe-Institut Madrid

Unser besonderer Dank gilt dem MGB, Koordinationsstelle der Migros Klubschulen, Zürich, Schweiz für die freundliche Überlassung einzelner Teile aus Lingua 21, der Klubschuladaption von Tangram, insbesondere von Inhalten aus dem Referenzbuch.

5. 4. 3. | Die letzten Ziffern
2011 10 09 08 07 | bezeichnen Zahl und Jahr des Druckes.
Alle Drucke dieser Auflage können, da unverändert, nebeneinander benutzt werden.
1. Auflage

Zeichnungen: Lyonn cartoons comics illustration, Köln
Verlagsredaktion: Silke Hilpert, Werner Bönzli, Hueber Verlag, Ismaning, Veronika Kirschstein
Produktmanagement: Astrid Hansen, Hueber Verlag, Ismaning
Gesamtherstellung: Ludwig Auer GmbH, Donauwörth
Printed in Germany
ISBN 978-3-19-001818-5

Vorwort

Liebe Leserin, lieber Leser,

die Unterrichtspraxis hat gezeigt, dass Lernende mit Tangram sehr schnell in der Lage sind, die neue Sprache aktiv und kreativ anzuwenden. Dies freut uns ganz besonders, haben wir doch damit wesentliche Ziele des Gemeinsamen Europäischen Referenzrahmens erreicht: kommunikative Kompetenz und sprachliche Handlungsfähigkeit der Sprachlernenden.

 Was ist neu an TANGRAM aktuell ?

Im Hinblick auf die im Referenzrahmen beschriebenen Kompetenzniveaus erscheint TANGRAM aktuell nun in **sechs Bänden**:
Je zwei kurze Bände führen zu den Niveaus A1, A2 und B1. Jede Niveaustufe wird mit einer intensiven Vorbereitung auf die Prüfungen *Goethe-Zertifikate A1* und *A2* und *Start Deutsch 1* und *2* bzw. das *Zertifikat Deutsch* abgeschlossen.
Erfahrungen aus dem Unterricht wurden in TANGRAM aktuell aufgegriffen und umgesetzt.

Dabei bleibt das bewährte Konzept im **Kursbuch** erhalten:

- Authentische Hör- und Lesetexte sowie vielfältige Übungen orientieren sich an **lebendiger und authentischer Alltagssprache** und fordern zur kreativen Auseinandersetzung mit den Inhalten heraus.
- Neue Strukturen werden nach dem **Prinzip der gelenkten Selbstentdeckung** herausgearbeitet: Mittels einer induktiven und kleinschrittigen Grammatikarbeit werden die Lernenden dazu befähigt, sprachliche Strukturen und Gesetzmäßigkeiten zu reflektieren und selbst zu erschließen.
- Die **phonetische Kompetenz** der Lernenden wird durch eine Mischung imitativer, kognitiver und kommunikativer Elemente von Anfang an aufgebaut.
- **Lieder**, **Raps** und **Reime** trainieren Aussprache und Intonation auf kreativ-spielerische Weise.

Das **Arbeitsbuch** präsentiert sich mit neuem Konzept:

- Zahlreiche Struktur- und Wortschatzübungen sowie viele kommunikativ-kreative Aufgaben bilden ein breites Spektrum. Im Vordergrund steht dabei das selbstständige Arbeiten zu Hause.
- Die Lernenden können Hörverstehen und Phonetik eigenständig trainieren, da die Audio-CD ins Buch integriert ist.
- Selbsttests geben den Lernenden die Möglichkeit zur selbstständigen Lernkontrolle.
- In jeder Lektion können die Lernenden ihren Lernfortschritt nach den „Kann-Beschreibungen" des Referenzrahmens (selbst) evaluieren.
- Der komplette Lernwortschatz zu den einzelnen Lektionen und den Prüfungen erleichtert ein gezieltes Vokabeltraining.

Wir hoffen, dass es uns gelungen ist, mit TANGRAM aktuell weiterhin das Lehren und Lernen der deutschen Sprache zu einem interessanten, bunten und erfolgreichen Erlebnis zu machen, und Sie beim Erreichen der einzelnen Niveaustufen optimal zu unterstützen.

Autoren und Verlag

Inhalt Kursbuch

Lektion

1 *Beziehungen* — Seite 1

Kommunikation
Kontaktanzeigen lesen ◆ über Partnerschaft und Freundschaft sprechen ◆ über Feste und Feiern sprechen ◆ auf Einladungen reagieren

Der Ton macht die Musik
Der Party-Rap *13*

Zwischen den Zeilen
Wortfeld *heiraten 7*

Grammatik
Reflexive Verben, Reflexivpronomen im Dativ und Akkusativ; Relativsätze + Relativpronomen

Wortfeld
Partnersuche; Kontaktanzeigen; Partnerschaft; Freundschaft und Beziehung; Feste und Einladungen

Lerntipp
Wortkarten für reflexive Verben schreiben *3*

Lektion

2 *Fantastisches – Unheimliches* — Seite 15

Kommunikation
über Erlebnisse berichten ◆ über die Zukunft sprechen ◆ alternative Heilmethoden diskutieren ◆ über Krankheiten und Heilmittel sprechen

Der Ton macht die Musik
„Tante Hedwig" von *Heinz Erhardt 21*

Zwischen den Zeilen
Feste Verbindungen von Verben und Nomen *25*

Grammatik
Finalsätze mit *um ... zu*; Futur I; Passiv Präsens

Wortfeld
Unheimliches im Alltag; Wahrsager und andere Zukunftsdeuter; Alternative Heilmethoden; Krankheiten und Heilmittel

Lerntipp
Wortkarten zu festen Verbindungen von Verben und Nomen schreiben *25*

Lektion

3 *Wünsche und Träume* — Seite 27

Kommunikation
Lebensgeschichten hören ◆ über Heimat und Staatsbürgerschaft sprechen ◆ Träume und Wünsche äußern

Der Ton macht die Musik
„Manchmal wünschte ich ..." von *Reinhard Mey 37*

Zwischen den Zeilen
das oder *dass 32*

Grammatik
Finalsätze mit *damit* und *um ... zu + Infinitiv*; Konjunktiv II: Originalformen und *würd- + Infinitiv*; irreale Wünsche und Vergleiche

Wortfeld
Leben im Ausland; (Zweite) Heimat Deutschland; Träume und Wünsche

Lerntipp
Originalformen des Konjunktivs II lernen *35*

Lektion

4 *Berufe* — Seite 39

Kommunikation
über Arbeitsbedingungen sprechen ◆ Anforderungen einzelner Berufe beschreiben ◆ über Doppeljobber sprechen ◆ eine Bewerbung schreiben

Der Ton macht die Musik
„frisör" von *thomas d. 46*

Zwischen den Zeilen
also oder *nämlich 49*

Grammatik
Nebensätze mit *sodass* und *so ... dass*; Genitiv nach Nomen und Präpositionen; *brauchen* als Verb und Modalverb

Wortfeld
Internationale Arbeitswelt; Berufsporträts; Doppeljobber und Nebenjobs; Stellensuche und Bewerbungen

Zwischenspiel

Abgehakt: Wiederholungsspiel — Seite 51

Inhalt Arbeitsbuch

Lektion

1 *Beziehungen* — Seite 57

Aufgaben und Übungen

Zwischen den Zeilen
Verben mit Präpositionen *62*

Phonetik
Die Lautverbindungen „pf", „ts", „ks" und „kv" *70*

Testen Sie sich! *71*
Selbstkontrolle *72*
Lernwortschatz *73*

Lektion

2 *Fantastisches – Unheimliches* — Seite 75

Aufgaben und Übungen

Zwischen den Zeilen
Verben mit Präpositionen *88*

Phonetik
Laute im Kontrast: „l", „n" und „r" *80*

Testen Sie sich! *90*
Selbstkontrolle *91*
Lernwortschatz *92*

Lektion

3 *Wünsche und Träume* — Seite 95

Aufgaben und Übungen

Zwischen den Zeilen
Nomen und Präpositionen *102*

Phonetik
Wortgruppen und Satzakzent *106*

Lerntipp
Wortkarten zu Nomen mit festen Präpositionen *102*

Testen Sie sich! *107*
Selbstkontrolle *108*
Lernwortschatz *109*

Lektion

4 *Berufe* — Seite 111

Aufgaben und Übungen

Zwischen den Zeilen
also oder *nämlich* *121*

Phonetik
Konsonantenhäufung *118*

Testen Sie sich! *123*
Selbstkontrolle *124*
Lernwortschatz *125*

Anhang

Lösungsschlüssel zum Arbeitsbuch **Seite 127–131**

Grammatik **Seite 131–167**

Quellenverzeichnis **Seite 168**

Piktogramme

Text auf CD mit Haltepunkt

Schreiben

Wörterbuch

Hinweis auf das Arbeitsbuch

Hinweis auf das Kursbuch

Regel

§ 2 Hinweis auf Grammatikanhang

Beziehungen

(„Gleich und gleich gesellt sich gern.")

(„Gegensätze ziehen sich an.")

A B C D E F

A Auf Partnersuche …

A1 Welche Personen finden Sie sympathisch? Warum?

ARBEITSBUCH 1–3

- ■ *Ich finde, die Frau oben in der Mitte sieht sympathisch aus.*
- ● *Ja, das finde ich auch. Sie hat ein freundliches Gesicht.*
- ▲ *Na ja, es geht so. Die Frau links daneben …*

Wer passt zu wem? Warum?

- ■ *Ich finde, der Mann mit dem Saxofon passt gut zu der Frau oben rechts.*
- ● *Das finde ich überhaupt nicht. Er ist doch viel jünger.*
- ▲ *Na und? Ich finde auch, dass die beiden gut zusammenpassen.*

A 2 **Überfliegen Sie die Anzeigen. In welcher Rubrik einer Zeitung findet man sie? Markieren Sie.**

Freizeit	Reisen	Immobilien	Kontakte	Fahrzeugmarkt	Stellenangebote

(A) **Karriere, Geld, Erfolg,** o.k. – mein Problem: kaum Zeit, einen lieben Mann zu finden.

Du bist ein Mann mit Herz, ehrlich, zuverlässig, humorvoll. Du interessierst Dich auch für Kultur und suchst eine dauerhafte Beziehung. Bin 1,72 m groß, dkl.haarig und alt genug. Meld Dich doch einfach mal! Ich freue mich auf Deine Post. Chiffre 2085

(B) **Jetzt versuchen wir** (zwei Ingenieure, 29 u. 34) es auf diesem Weg. Warum ist es

nur so schwierig, nette, ganz „normale" und unkomplizierte Frauen kennenzulernen, die Lust auf gemeinsame Aktivitäten (und evtl. mehr ...) haben?! Welche Frauen interessieren sich für Kino, Wandern und Tanzen? (Aussehen und Beruf egal) Meldet euch ganz schnell unter Chiffre 7712.

ICH HASSE (C) schlanke Frauen!!! Bin 39, erfolgreicher Künstler und von Gr. 34–36-Frauen, die ich beruflich treffe, total

frustriert. DU bist eine unkomplizierte, natürliche Rubens-Frau und liebst das Leben und gutes Essen. Ärgere Dich nicht über Deine Figur, vergiss die Komplexe und schreib jetzt sofort an Chiffre 1146.

(D) **Möchtest Du Dich** auch endlich mal wieder so richtig verlieben? Wir (w, 36, seit zwei Jahren geschieden, und Laura, 8) träumen von einem

harmonischen Familienleben auf dem Lande ohne finanzielle Probleme. Wenn Du ehrlich, häuslich, naturverbunden, tolerant, aber nicht langweilig bist und genug hast vom Alleinsein, dann schick ein Foto. Wir melden uns ganz bestimmt! Chiffre 9835

(E)

Sportstudent (23, 181, gut aussehend) will sich endlich vom Single-Leben verabschieden. Welches sportliche, unkomplizierte (und vielleicht hübsche?) Mädchen möchte sich auch verlieben und mit mir das Leben und die Liebe entdecken? Bald ist Frühling – ich hoffe auf ein Zeichen von DIR. Chiffre 3051

Für einen Neuanfang ist es (F) nie zu spät! Humorvolle ältere, aber jung gebliebene Dame (73, Witwe) träumt

von einem niveauvollen, seriösen Partner, um gemeinsam die schönen Seiten des Lebens zu genießen. Das Alter spielt keine Rolle, aber aktiv sollte ER sein (geistig und körperlich!). Sind Sie vielleicht mein Kavalier? Dann freuen Sie sich – wie ich – schon jetzt auf das erste Treffen! Chiffre 4053

Lesen Sie die Anzeigen jetzt genau.
Welche finden Sie am interessantesten, am witzigsten, am langweiligsten? Warum?

A 3 **Drei Personen stellen sich vor. Wo sind die Leute? Hören und markieren Sie.**

Die Leute sind
- ☐ in einer Fernsehsendung zum Thema „Partnersuche".
- ☐ in einem Heiratsinstitut.
- ☐ in einer Therapiegruppe für einsame Menschen.

1–4

Hören Sie noch einmal und machen Sie Notizen.

	Alter	Beruf	Familienstand	Interessen	Wünsche an den Partner
1 Heike					

Suchen Sie für diese Leute eine Partnerin oder einen Partner in den Anzeigen von A2.

Person	1	2	3
Anzeige			

A 4 **Lesen Sie die Kontaktanzeigen von A2 noch einmal und ergänzen Sie die Sätze und die Tabelle.**

Reflexivpronomen

1 Du *interessierst* *dich* für Kultur … .
2 Ich ______ auf deine Post.
3 Welche Frauen ______ für Kino, Wandern und Tanzen?
4 ______ ganz schnell unter Chiffre 7712.
5 ______ nicht über deine Figur, ...
6 du ______ auch endlich mal wieder so richtig ______ ?
7 Wir ______ ganz bestimmt!
8 Sportstudent ______ endlich vom Single-Leben ______ .
9 Welches ... Mädchen ______ auch ______ ... ?
10 Dann Sie ______ – wie ich – schon jetzt auf das erste Treffen!

Personalpronomen (NOM)	ich	du	sie/er/es	wir	ihr	sie	Sie
Reflexivpronomen (AKK)							

Lerntipp:

Im Lernwortschatz stehen reflexive Verben so: *sich interessieren + für* AKK

Viele reflexive Verben haben Präpositionalergänzungen. Lernen Sie diese Verben immer zusammen mit Reflexivpronomen und Präposition und schreiben Sie Beispielsätze auf die Wortkarten:

interessieren + sich + für AKK
Ich interessiere mich für Kunst.

A 5 **Ergänzen Sie jetzt die Regel.**

! sich ◆ Reflexivpronomen ◆ reflexive Verben

1 Verben mit Reflexivpronomen nennt man ______________________ .
Das ______________________ zeigt zurück auf das Subjekt : **Ich** freue **mich**.
2 Das Reflexivpronomen für sie/er/es im Singular und für sie/Sie im Plural heißt ______________ .

ARBEITSBUCH 4–5

A 6 Was bedeutet „Partnerschaft"? Ergänzen Sie die Sätze.

sich ärgern (über) ◆ sich beklagen (über) ◆ sich bedanken (für) ◆ sich entschuldigen (für) ◆ sich erinnern (an) ◆ sich freuen (über) ◆ sich gewöhnen (an) ◆ sich kümmern (um) ◆ sich interessieren (für) ◆ sich verabschieden (von) ◆ sich verlieben ◆ sich wohlfühlen

1 _sich_ vom Partner immer mit einem Kuss _verabschieden._
2 ______ gern um den Haushalt ______
3 ______ für seine Fehler ______
4 ______ für die Hobbys des Partners ______
5 ______ oft über die Schwiegereltern ______
6 ______ leicht an negative Eigenschaften des Partners ______
7 ______ beim Partner für ein gutes Essen ______
8 ______ an den ersten Kuss ______
9 ______ über kleine Geschenke ______
10 ______ oft über Kleinigkeiten ______
11 ______ in der Partnerschaft ______
12 ______ jeden Tag neu ______

Machen Sie ein Interview und notieren Sie die Antworten.

■ *Interessieren Sie sich für die Hobbys Ihres Partners?* ↗
● *Nein, er ist Fußball-Fan,* → *und Fußball finde ich langweilig.* ↘
■ *Finden Sie es wichtig,* → *dass man sich für seine Fehler entschuldigt?* ↗
…

Finden Sie Gemeinsamkeiten und berichten Sie.

■ *Wir freuen uns beide über kleine Geschenke.* ↘ *Ich entschuldige mich nicht gern,* → *aber Jasmin hat damit keine Probleme.* ↘ *Unsere Partner …*

ARBEITSB
6–7

A 7 Schreiben Sie eine Kontaktanzeige für Ihre Nachbarin oder Ihren Nachbarn.

Stellen Sie vorher weitere Fragen und machen Sie Notizen (Alter, Aussehen, Beruf, Hobbys, Eigenschaften, Wünsche an den Partner …). Mischen Sie dann alle Anzeigen und lesen Sie sie laut vor. Die anderen raten: Wer sucht hier einen Partner?

Leidenschaftlicher Pizzabäcker (28, 173, gut aussehend und charmant) träumt noch immer von einer romantischen Beziehung. Welche zärtliche und treue SIE interessiert sich für meine Rezepte (z.B. Quattro Stagioni oder Capricciosa)? Bestellungen unter Chiffre 3952

ARBEITSB
8–1

B Allein oder zusammen?

B 1 Lesen Sie den Textanfang.

Wer ist wie ich?

Immer mehr Menschen leben heute allein. Die neuesten Statistiken zeigen: Schon 35% der deutschen Haushalte sind Ein-Personen-Haushalte. In den deutschen Großstädten liegt die Quote sogar bei 50 %. Und es werden immer mehr. Für diesen Trend gibt es zahlreiche Erklärungen. Hier die psychologische:

Was meinen Sie: Was ist das für ein Text? Was steht im Text? Markieren Sie.

Das ist …

- ein Zeitungsartikel in der Rubrik „Politik".
- eine Anzeige für ein Heiratsinstitut.
- ein literarischer Text.
- ein Artikel in einer Zeitschrift für Psychologie.

Immer mehr Menschen leben heute allein, …

- weil sie keinen Partner brauchen.
- weil die Eltern geschieden sind.
- weil sie zu anspruchsvoll sind.
- weil sie keine Kinder haben möchten.

B 2 Lesen Sie jetzt weiter und überprüfen Sie Ihre Vermutungen.

… Viele Alleinstehende bleiben lieber allein, als in einer festen Beziehung zu leben, die ihnen als schlechter Kompromiss erscheint. Der bürgerlich-romantische Mythos vom idealen Partner lebt weiter: Irgendwo gibt es den einen Menschen, der wirklich zu mir passt, irgendwann treffen sich unsere Blicke und es macht „klick". Die Erwartungen an einen möglichen (Ehe-)Partner sind also extrem hoch. Deshalb ist die Chance, dass sich zwei so anspruchsvolle Menschen treffen und ineinander verlieben, sehr klein.

Früher haben die Menschen diese Vorstellung vor allem in der Fantasie gelebt, im wirklichen Leben mussten sie sich mit der Realität arrangieren. Traumpaare gab es nur in Romanen, Opern oder Filmen, nicht in der harten Wirklichkeit: Im Alltag war für den Traum vom idealen Partner kein Platz. Doch diese Meinung hat sich in den letzten Jahrzehnten geändert: Heute möchten sich immer weniger Menschen vom Mythos des idealen Partners verabschieden, und die Wünsche nach Perfektion werden immer größer.

Dr. Wilfried Neidhart

Verhaltensforscher erklären diese Entwicklung so: Die Menschen in unserer heutigen Gesellschaft überschätzen sich oft selbst. Sie finden sich selbst so attraktiv, dass ihr Traumpartner alles sein muss: gut aussehend und erfolgreich, intelligent und gefühlvoll, seriös und humorvoll. Weil man solche Menschen aber höchstens in Filmen findet und nicht in der Realität, kann man auf das große Glück oft sehr lange warten. Die Partnerschaftsforscher raten zu mehr Bescheidenheit. Ihre Untersuchungen zeigen nämlich eines: Du bekommst meistens das, was du selber bist.

B 3 Lesen Sie die Erklärungen, suchen Sie die Wörter im Text und ergänzen Sie.

die Quote = die Prozentzahl
______ = sie leben allein, ohne feste Beziehung
______ = eine Lösung „in der Mitte"
______ = man verliebt sich (umgangssprachlich)
______ = die Vorstellung, wie etwas/jemand sein soll
______ = sie erklären, warum Menschen und Tiere so handeln, wie sie handeln
______ = glauben, dass man besser ist, als man in Wirklichkeit ist
______ = mit wenig zufrieden sein (Nomen)

B 4 Machen Sie eine Textzusammenfassung. Sortieren Sie die Sätze.

☐ Partnerschaftsforscher raten deshalb zu mehr Bescheidenheit.
1 Über ein Drittel der Menschen in Deutschland lebt heute allein.
☐ Den Traummann oder die Traumfrau gab es nur in ihrer Fantasie.
☐ Sie finden keinen Partner, weil ihre Erwartungen sehr hoch sind.
☐ Heute suchen viele Menschen den perfekten Partner auch in der Realität.
☐ Früher waren die Menschen realistischer.
☐ Sie überschätzen sich selbst und haben deshalb zu hohe Erwartungen.

B 5 Sind Sie einverstanden? Gibt es andere Erklärungen für den Trend zum Single-Leben? Diskutieren Sie.

nach der Meinung fragen
Glaubst du/glauben Sie, (dass) ... ?
Was denkst du/denken Sie über ... ?
Wie findest du/finden Sie ... ?

(feste) Überzeugungen ausdrücken
Es ist doch (ganz) klar, (dass) ...
Ich bin (ganz) sicher, (dass) ...
Ich bin fest davon überzeugt, (dass) ...

seine Meinung sagen
Ich glaube/finde, (dass) ...
Ich denke/meine, (dass) ...
Meiner Meinung nach ...

Unsicherheit ausdrücken
Ich bin mir nicht sicher, (w-/ob) ...
Ich weiß nicht, (w-/ob) ...
Keine Ahnung.

klar widersprechen
(Nein,) das finde/glaube ich nicht.
Das ist (aber/doch) nicht richtig.
Das stimmt (aber/doch) nicht!

vorsichtig widersprechen
Wirklich?
Bist du/sind Sie da (wirklich) sicher?
Vielleicht (hast du/haben Sie recht), aber ...

zustimmen
(Ja,) das finde/glaube ich auch.
Da hast du/haben Sie recht.
Genau!

WITZ

Er: „Schau mal, wir sind jetzt schon fast zwölf Jahre verlobt. Was meinst du, sollten wir nicht mal heiraten?"
Sie: „Keine schlechte Idee. Aber wer nimmt uns jetzt noch?"

ARBEITS... 11–1

C Zwischen den Zeilen

C 1 Ergänzen Sie.

geschieden sein ◆ getrennt sein (+ von + DAT) ◆ heiraten (+ AKK) ◆ sich scheiden lassen (+ von + DAT) ◆ sich trennen (+ von + DAT) ◆ ~~sich verlieben (+ in + AKK)~~ ◆ sich verloben (+ mit + DAT) ◆ verheiratet sein (+ mit + DAT) ◆ ~~verliebt sein (+ in + AKK)~~ ◆ verlobt sein (+ mit + DAT)

die Handlung	das Ereignis	der Zustand
sich verlieben		*verliebt sein*
______	*die Verlobung*	______
______	*die Heirat, die Hochzeit, die Ehe*	______
______	*die Trennung*	______
______	*die Scheidung*	______

Heirat *die; –, -en;* die offizielle Verbindung von Mann und Frau

Hochzeit *die; –, -en;* die Zeremonie, bei der ein Mann und eine Frau auf dem Standesamt oder in der Kirche erklären, dass sie ihr Leben zusammen verbringen wollen; die Feier an diesem Tag

Ehe *die; –, -n;* die Lebensgemeinschaft von einem Mann und einer Frau, nachdem sie geheiratet haben

C 2 Lesen Sie die Dialoge und ergänzen Sie die Sätze.

1
- ● Weißt du schon das Neuste? Roman will sich von Birke *trennen* .
- ■ Was? Aber die beiden haben doch erst vor zwei Jahren ______ . Ich erinnere mich noch gut an die ______ – das war ein tolles Fest.
- ● Vor zwei Jahren? Ich dachte, sie sind schon länger ______ . Jedenfalls hat mir Roman vor Kurzem erzählt, dass er sich bis über beide Ohren ______ hat.
- ■ Und in wen?
- ● Das hat er mir nicht gesagt. Aber es muss etwas Ernstes sein: Er sagt, er will sich nach der ______ auch so schnell wie möglich von Birke ______ . Und nach der ______ will er dann seine neue Freundin ______ .
- ■ Na so was! Und ich habe immer gedacht, dass er glücklich ______ ist.

2
- ◆ Na, du siehst ja so richtig glücklich und zufrieden aus.
- ▲ Ja, stimmt. Du weißt doch, dass ich seit ein paar Monaten einen neuen Freund habe. Wir sind beide wirklich total ______ , und am letzten Wochenende haben wir uns ______ .
- ◆ Was? Herzlichen Glückwunsch! War das so eine richtige ______ , mit einem Fest, mit Ringen und so?
- ▲ Nein, nicht so offiziell. Aber Ringe haben wir, und nächstes Frühjahr soll die ______ sein.
- ◆ Na, ich hoffe nur, du hast trotzdem noch Zeit für mich – auch wenn du jetzt ______ bist.
- ▲ Na klar. Und wie geht's dir? Lebst du weiter ______ von deinem Mann?
- ◆ Ja, inzwischen sind wir auch ______ . Ich habe jedenfalls erst einmal die Nase voll von der ______ .

ARBEITSBUCH 15–16

5–6 **Hören und vergleichen Sie.**

D Freunde fürs Leben

D 1 Was bedeutet für Sie „Freundschaft"? Diskutieren Sie.

ARBEITS 17

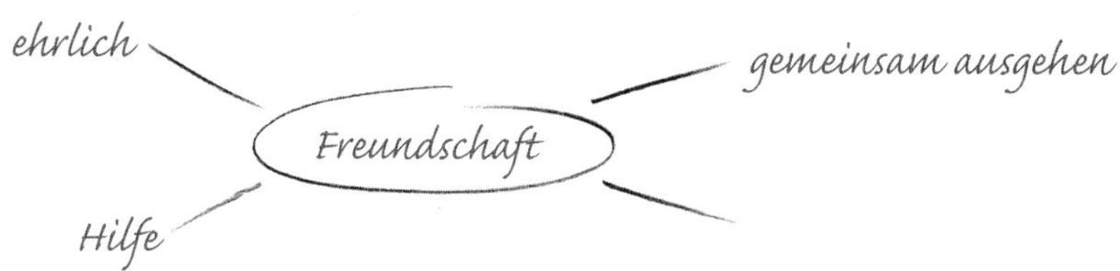

D 2 Lesen Sie das Gedicht.

An eine ferne Freundin

Du hörst mir zu, wenn ich mit dir spreche.
Du antwortest mir, wenn ich Fragen habe.
Du sagst mir die Meinung, wenn es nötig ist.
Du hilfst mir, wenn ich dich brauche.
Du glaubst mir, ich vertraue dir.
Warum bist du so weit weg?
Du fehlst mir.

Schreiben Sie ein ähnliches Gedicht über „Freundschaft".

An ...	An ...	An ...
Ich ..., weil du ...	Mit dir würde ich ...	..., ...

D 3 Ist das „Freundschaft"? Markieren Sie.

		ja	nein
1	Sie erzählen einer Freundin, die gerade eine Lebenskrise hat, nichts von Ihren eigenen Problemen.		
2	Sie sagen einem guten Freund, den Sie schon sehr lange kennen, dass Sie seine Verlobte nicht mögen.		
3	Sie geben für einen Freund, dem Sie bei der Partnersuche helfen wollen, eine Kontaktanzeige auf.		
4	Sie sagen den Menschen, die Sie sehr gern haben, immer die Wahrheit.		
5	Sie rufen eine Freundin, über die Sie sich sehr geärgert haben, nicht mehr an.		
6	Sie schenken einem Freund, der oft nach Schweiß riecht, einen Deoroller zum Geburtstag.		

Vergleichen und diskutieren Sie.

D 4 **Lesen Sie die Beispiele und ergänzen Sie die Relativpronomen.**

Relativsätze

Hauptsatz 1	**Hauptsatz 2**
Sie erzählen Ihrer Freundin nichts von Ihren eigenen Problemen.	Die Freundin hat gerade eine Lebenskrise.
Sie sagen einem guten Freund, dass Sie seine Verlobte nicht mögen.	Den Freund kennen Sie schon lange.
Sie rufen eine Freundin nicht mehr an.	Über die Freundin haben Sie sich sehr geärgert.

Hauptsatz 1	**Relativsatz**	**Hauptsatz 1**
Sie erzählen Ihrer Freundin,	___ gerade eine Lebenskrise hat, *(Relativpronomen NOM)*	nichts von Ihren eigenen Problemen.
Sie sagen einem guten Freund,	___ Sie schon lange kennen, *(Relativpronomen AKK)*	dass Sie seine Verlobte nicht mögen.
Sie rufen eine Freundin,	über ___ Sie sich sehr geärgert haben, *(über + Relativpronomen AKK)*	nicht mehr an.

D 5 **Lesen Sie noch einmal die Sätze von D3, markieren Sie die Relativpronomen und ergänzen Sie die Tabelle und die Regeln.**

Relativpronomen

		NOM	AKK	DAT
Sg.	feminin			der
	maskulin	der		
	neutrum	das	das	dem
Pl.		die		denen !

! Relativsätze und Relativpronomen

bestimmten ◆ Personen und Sachen ◆ am Ende ◆ Relativpronomen

1 Mit Relativsätzen kann man ______________________ genauer beschreiben.

2 Relativsätze sind Nebensätze, das Verb/die Verben stehen ______________. Am Anfang von Relativsätzen stehen ______________________.

3 Relativpronomen haben dieselben Formen wie die ______________ Artikel.
Ausnahme: Relativpronomen Dativ Plural = ______________

ARBEITSBUCH 18–22

D 6 Was passt? Sortieren Sie.

a) eine Bekannte ◆ b) ~~ein Freund~~ ◆ c) gute Freunde ◆ d) eine Kollegin ◆ e) Verwandte ◆ f) eine Ehefrau ◆ g) die Hochzeitsfeier ◆ h) ein Schulfreund

1 Den Mann kennt man sehr gut und lange. *b*
2 Die Menschen gehören zur Familie.
3 Die Frau kennt man nicht sehr gut.
4 Mit der Frau arbeitet man zusammen.
5 Den Menschen kann man vertrauen.
6 Den Mann kennt man aus der Schulzeit.
7 Mit der Frau ist man verheiratet.
8 Das Fest findet am Tag der Hochzeit statt.

Schreiben Sie Worterklärungen mithilfe von Relativsätzen.

Eine Bekannte …	*ist eine Frau,*	*die …*
Ein Freund …	*ist ein Mann/jemand,*	*den man …*
Verwandte …	*sind Menschen/Leute,*	*die …*

Eine Bekannte ist eine Frau, die man nicht sehr gut kennt.

Fragen und antworten Sie zu zweit.

- *Was bedeutet das Wort „Kollegin"?* ↗
- *Eine Kollegin ist …*

- *Wie nennt man Menschen,* → *die zur Familie gehören?* ↘
- *(Das sind) …*

ARBEITSB. 23–2

E Frohe Feste

E 1 Sprechen Sie über die Fotos: Wo sind die Personen? Was feiern sie?

ARBEITSB. 25–2

1

2

3

4

5

6

E 2 **Lesen Sie die Einladungen. Welche Einladung passt zu welchen Personen? Markieren Sie.**

Einladung	A	B	C	D	E	F
Foto	5					

Ⓐ Liebe/r ...

Am Samstag, den 4. Juli möchte ich zusammen mit meinen Freunden meinen

Geburtstag

feiern.

Dazu bist Du herzlich eingeladen. Die Geburtstags-party beginnt um 15 Uhr und findet bei uns im Garten statt. Ich würde mich sehr freuen, wenn Du kommst.

Bitte sag mir rechtzeitig Bescheid. Deine Eltern können Dich so gegen 19 Uhr abholen.

Dein

Ⓑ *Liebe Freunde und Verwandte,*

hiermit möchten wir euch recht herzlich zu unserer

50

Goldenen Hochzeit

am 12. Juni um 15 Uhr im Gasthof

„Zur alten Mühle"

einladen, um diesen Freudentag gemeinsam zu feiern.
Bitte informiert uns rechtzeitig, ob ihr kommen könnt.
Wir können uns dann auch um eine Unterkunft kümmern.

Ⓒ **Mega-Party**

Das wird ein rauschendes Fest!!!

Kommt alle am Samstag, den 18. Juli, um 20 Uhr zu meiner Geburtstags-Mega-Party in die Mozartstraße.

Leute über 30 haben keinen Zutritt!

Es wäre schön, wenn ihr was zu essen oder zu trinken mitbringen könntet – und natürlich gute Laune.

Bitte meldet euch mal und sagt Bescheid, ob

Ⓓ Zwei tiefe Blicke ...
... damit fing alles an.

Heute freuen wir uns, euch alle zu unserer

Hochzeit

einzuladen. Dieses besondere Fest wollen wir am 17. April gemeinsam mit euch feiern.

Ort: Standesamt im Rathaus Tutzing, 13 Uhr
Anschließend laden wir zum Mittagessen ins „Seehaus" am Starnberger See ein.

Ⓔ **„Uni endlich fertig, aber was dann???"**
„Drei von 86 000: Gebt uns einen Job!"
„Wer wirklich will, hat gute Chancen."

... so liest man in der Zeitung.

Uns jedenfalls hat der Optimismus noch nicht verlassen!
Lasst uns das Examen feiern!

Wann? Freitag, den 29. Mai
Wo? Tango Azul (Am neuen Pferdemarkt)

Bitte bis Ende April zu- oder absagen.

Anke, Eva, Anja

Ⓕ Einladung

25 Jahre Bauerntheater Ismaning

Aus Anlass unseres 25-jährigen Bestehens würden wir uns freuen, Sie am Donnerstag, den 3. September, in der Zeit von 11 bis 14 Uhr zu einem Empfang im Bürgersaal in Ismaning begrüßen zu dürfen.

Die Mitglieder
des Bauerntheaters Ismaning

(Man muss die Feste feiern, wie sie fallen.)

(Wenn man auf einer Familienfeier im Mittelpunkt stehen will, darf man nicht hingehen!)

E 3 7–10 **Hören Sie jetzt verschiedene Telefongespräche. Was passt wo? Markieren Sie.**

Dialog	1	2	3	4
Einladung				

E 4 **Hören Sie noch einmal Dialog 4 und ergänzen Sie die Sätze.**

10

		Reflexiv-pronomen		Akkusativ-Ergänzung		
1	Schön, dass du	______			meldest	.
2	Hast du	______	eigentlich schon	das Buch von …	gekauft	?
3	Eigentlich wünsche ich	______		nichts Besonderes.		
4	Mein Bruder hat	______	letzte Woche	genau diese Scheibe	besorgt	.
5	Der interessiert	______	nämlich auch		total für Hip-Hop.	
6	Egal, ich denke	______		was Schönes	aus	.
7	Ich freue	______			schon.	

Ergänzen Sie die Tabelle und die Regeln.

Reflexiv-pronomen (AKK)	Reflexiv-pronomen (DAT)
uns	uns
euch	euch
sich	sich

!

		Satz	Reflexives Verb
1	Wenn das reflexive Verb keine weitere Akkusativ-Ergänzung hat, steht das Reflexivpronomen im Akkusativ.	1	melden + sich (AKK)
		______	______
		______	______
2	Wenn das reflexive Verb außerdem noch eine Akkusativ-Ergänzung hat, steht das Reflexivpronomen im Dativ.	2	kaufen + sich (DAT) + AKK
		______	______
		______	______
		______	______

ARBEITSBUCH 27–

E 5  **Sie haben eine Einladung zur Geburtstagsparty Ihrer ehemaligen Deutschlehrerin bekommen. Sie haben noch Fragen und antworten ihr. Schreiben Sie etwas zu allen vier Punkten unten. Überlegen Sie dabei eine passende Reihenfolge.**

- Was sie sich zum Geburtstag wünscht
- Ob Sie Musik aus Ihrer Heimat mitbringen sollen
- Ob Sie auch eine Stunde später kommen können
- Ob noch andere Kursteilnehmer aus dem alten Kurs kommen

Vergessen Sie nicht das Datum, die Anrede und schreiben Sie auch eine passende Einleitung und einen passenden Schluss.

ARBEITSBUCH 30–

F Der Ton macht die Musik

11

Was passt wo? Lesen und ergänzen Sie.

gab ◆ Gäste ◆ alleine ◆ schmeckt ◆ Kuchen ◆ steht ◆ heute ◆ schwer ◆ Bekannte ◆ wieder ◆ winken ◆ Leute

Der Party-Rap

Hallo, liebe Leute:
Wir wollen feiern __________!
Ich liebe tolle Feste,
Seid ihr meine __________?

Refrain: Heute ist Partytime,
Wir laden alle ein.
Niemand bleibt heut' allein,
wir woll'n zusammen sein.

So viele __________,
auf die ich mich schon freute
Verwandte, __________,
'ne alte Tante, die niemand kannte

Refrain: Heute ist Partytime,
wir laden alle ein.
Niemand bleibt heut' allein,
wir woll'n zusammen sein.

Wir tanzen, bis es nicht mehr geht
und niemand in der Ecke __________,
da hinten den __________,
den musst du unbedingt versuchen!

Refrain: Heute ist Partytime,
wir laden alle ein.
Niemand bleibt heut' allein,
wir woll'n zusammen sein.

Oh Mann, was ist mein Kopf __________,
ich glaube fast, ich kann nicht mehr.
Nur noch in die Kissen sinken …
vielleicht noch mal zum Abschied __________.

Refrain: Heute ist …

Na klar, was denkst denn du, Mann?
Das hört sich ja echt gut an!
Ich komm' auch nicht __________ …
Du weißt schon, was ich meine.

Meinst du etwa die da?
Die ist ja ganz schön bieder.
Ich glaub, die war noch nie da
und kommt wohl auch nie __________.

Nur Schoko, wo ist Erdbeer?
Jetzt gib doch mal die Pizza her!
Lecker, wie der Sekt __________ –
wo hab'n sich nur die Chips versteckt?

Hey Mann, reiß' dich zusammen,
hier läuft doch dein Programm!
hier geht doch voll die Post ab –
ein Fest, wie's lange keins mehr __________.

ARBEITSBUCH 33–36

Hören und vergleichen Sie.

G Kurz & bündig

Reflexive Verben (Reflexivpronomen im Akkusativ) § 9

Möchtest du dich auch endlich mal wieder so richtig **verlieben**?
Du interessierst dich auch für Kultur und suchst eine dauerhafte Beziehung.
Sportstudent (23, 181, gut aussehend) will **sich** endlich vom Single-Leben **verabschieden**.
Meldet euch ganz schnell unter Chiffre 7712.
Welche **Frauen interessieren sich** für Kino, Wandern und Tanzen?

Ich freue mich auf deine Post.
Ärgere dich nicht über deine Figur und schreib jetzt sofort an Chiffre 1146.
Welches sportliche, unkomplizierte **Mädchen möchte sich** auch **verlieben**?
Wir melden uns ganz bestimmt!
Dann **freuen Sie sich** schon jetzt auf das erste Treffen!

Reflexivpronomen im Dativ § 26

Hast du dir eigentlich schon das Buch von Ute Ehrhardt **gekauft**?
Na ja, egal, **ich denk' mir** was Schönes **aus**.

Ja, das hab' ich schon. Ach, eigentlich **wünsche ich mir** nichts Besonderes.
Genau. Du weißt ja sowieso meistens besser als ich, was mir gefällt.

Relativsätze § 49

Sie sagen **einem Freund**, ***den*** *Sie schon sehr lange kennen*, dass Sie seine Verlobte nicht mögen.
Sie geben für **einen Freund**, ***dem*** *Sie bei der Partnersuche helfen wollen*, eine Kontaktanzeige auf.
Sie sagen **den Menschen**, ***die*** *Sie sehr gern haben*, immer die Wahrheit.
Sie rufen **eine Freundin**, ***über die*** *Sie sich geärgert haben*, nicht mehr an.
Sie schenken **einem Freund**, ***der*** *immer* nach *Schweiß riecht*, einen Deoroller zum Geburtstag.

Was bedeutet „eine Bekannte"?
Was heißt „Ehepartner"?
Und wie nennt man **Menschen**, ***die*** *zur Familie gehören*?

Eine Bekannte ist **eine Frau**, ***die*** *man nicht sehr gut kennt.*
Der Ehepartner ist der **Partner**, ***mit dem*** *man verheiratet ist.*
Das sind „Verwandte".

„wegen" und „trotz"

Wir mussten uns aber **wegen der** Kämpfe in der Hauptstadt in den Bergen verstecken.
Ich habe schon immer gewusst, dass du **trotz des** Chemiestudiums in deinem tiefsten Inneren ein Künstler bist.

Nützliche Ausdrücke

Warum leben heute immer mehr Menschen allein?
Die Menschen heute überschätzen sich oft.
Meiner Meinung nach sind sie zu anspruchsvoll.

Keine Ahnung.
Vielleicht haben Sie recht, aber ...
Das stimmt doch nicht!

Ich liebe dich **ohne Wenn und Aber.**
Typisch für den Krebs **ist** seine Liebe zur Kunst.

Das hört sich ja echt **gut an!**
Ich **halte nichts von** Astrologie.

So ein Tag **ist wirklich ein Grund zum Feiern.**
Hier geht ja voll die Post ab!
Ich glaube, **ich kann nicht mehr.**

Genau!
Na klar, **was denkst denn du?**
Hey, **reiß dich zusammen!**

Es wäre schön, wenn ihr was zu essen oder zu trinken mitbringen **könntet.**
Aus Anlass unseres 25-jährigen **Bestehens würden wir uns freuen, Sie am** Donnerstag, den 3. Mai, **in der Zeit von** 11 bis 14 Uhr **zu** einem Empfang **im** Bürgersaal in Ismaning **begrüßen zu dürfen**.

Fantastisches Unheimliches

LEKTION 2

A Das ist ja unheimlich!

A 1 Sprechen Sie über die Fotos.

Beschreiben Sie ein Bild ganz genau. (Wo? Wer? Was? Wann?)
Welche Situation finden Sie unheimlich, gefährlich, schrecklich? Warum?
Was würden Sie in diesen Situationen machen?
Wovor haben Sie im Alltag Angst? Was ist Ihnen unheimlich?

A 2 **Lesen Sie zwei Texte und machen Sie zu jedem 5–8 Stichwörter. Dann berichten Sie über den für Sie interessantesten Text. Arbeiten Sie in Gruppen.**

1

„Sie waren gekommen, um mich zu holen."

Es war ein regnerischer, kalter Herbsttag, und ich fühlte mich erschöpft, als ich an diesem Freitagabend das Büro verließ, um aufs Land hinauszufahren, wo ich Freunde besuchen wollte. Es dauerte ewig, bis ich mich mit dem Auto durch die verstopften Straßen der Vorstädte gequält hatte und die einsame Landstraße erreichte. Um ein paar Kilometer abzukürzen, fuhr ich über einen Feldweg. Plötzlich waren sie da. „Es wird Zeit", sagten sie, „wir nehmen dich jetzt mit." Sie waren zu viert, Vater, Mutter und zwei Kinder. Ich sah sie nicht, aber ich wusste, wer sie waren: eine Familie von Moorleichen, Boten aus der Landschaft meiner Kindheit. Sie waren gekommen, um mich zu holen. Ich fror und schwitzte gleichzeitig und dachte: Euch gibt es nicht, nicht hier! Sie lachten mich aus. „Ihr könnt mir nichts tun", rief ich und gab einfach Gas. Ich raste über den Feldweg, bis ich endlich wieder auf der Landstraße war und mich sicherer fühlte. Ich habe sie nie wieder gesehen. Aber wer immer sie waren, sie haben mir auch geholfen, weil ich von da an begann, mein Leben bewusster zu leben. Martin, 42

2

„Diese Wohnung oder keine!"

Monatelang war ich in Hamburg vergeblich auf Wohnungssuche. Alle Objekte, die mir angeboten wurden, waren entweder zu teuer, zu weit draußen oder irgendwie scheußlich. Und jeden Morgen, wenn ich mit dem Bus ins Büro fuhr, sah ich ein wunderschönes Jugendstilhaus. Von der Dachwohnung musste man einen traumhaften Blick auf die Alster haben. So eine Wohnung müsste man haben! Monatelang fuhr ich an dem Haus vorbei und träumte jedes Mal von einer Wohnung wie dieser. Als ich die Hoffnung auf eine schöne Wohnung schon fast aufgegeben hatte, rief mich ein Makler an, um mit mir einen Besichtigungstermin zu vereinbaren. Er hätte da „ein ungewöhnliches Objekt", das mir bestimmt gefallen würde. Am nächsten Abend traf ich mich mit dem Makler, um mir die Wohnung anzuschauen. Ich wollte es nicht glauben: Es war die Wohnung, die ich Morgen für Morgen gesehen hatte! Mit Alsterblick. Und bezahlbar. Seitdem glaube ich, dass man alles bekommen kann. Man muss es sich nur stark genug wünschen. Zugegeben: Es klappt nicht immer. Aber manchmal. Corinna, 31

„Er verschwand vor meinen Augen" 3

Es war an einem Winternachmittag, ich wollte zu einer Freundin. Weil es draußen ziemlich kalt war, nahm ich meine Handschuhe mit und wollte sie im Flur anziehen. Plötzlich fiel mir einer herunter. Ich guckte ihm hinterher, und so seltsam es sich anhört – der Handschuh verschwand vor meinen Augen. Er war einfach weg. Natürlich glaubten wir es nicht, und die halbe Familie kroch auf dem Gang und in allen Zimmern herum, um den Handschuh zu finden. Wir fanden ihn nicht, und wir fanden ihn nie mehr – auch nicht beim Umzug, wo ja sonst alles wieder auftaucht. Der Flur war mir von da an unheimlich, auch wenn ich bis heute noch denke, es muss doch eine natürliche Erklärung geben. Denn was, bitte schön, soll ein grüner Wollhandschuh in der vierten Dimension? Melanie, 29

„Ich hatte das Gefühl, ihn in meinen Armen zu halten." 4

Es war eine vollkommen stille Nacht. Plötzlich wurde meine Balkontür von einem Luftzug aufgestoßen. Der Vorhang wehte. Ich sah auf die Uhr, es war halb vier. Und ich wusste, dass jetzt Nico, mein Sohn, gestorben war. Er befand sich weit von mir entfernt an der amerikanischen Westküste in einer Klinik, um sich noch einmal einer Chemotherapie zu unterziehen. Er hatte Leukämie. Am Telefon hatte er mich gebeten, nicht zu kommen. „Mama", sagte er, „wenn es so weit ist, komme ich zu dir." Ich wusste nicht ganz sicher, ob er meinte, dass er kommt, wenn die Behandlung einen Erfolg gebracht hat. Oder ob er den Tod meinte. Aber jetzt, in diesen Minuten, während der Himmel langsam hellgrau wurde, war er da. Er war bei mir. Ungefähr eine Viertelstunde lang hatte ich das Gefühl, ihn in meinen Armen zu halten. Dann rief ich in der Klinik in San Diego an, um zu erfahren, was mit ihm los ist. „Er ist vor ein paar Minuten ganz friedlich gestorben", sagte man mir. Carmen, 52

A 3 **Diskutieren Sie zu viert: Gibt es eine natürliche Erklärung für diese Erlebnisse? Was ist „wirklich" passiert?**

- *Ich glaube, dass Martin einfach müde und kaputt war.*
- *Ja, genau. Vielleicht ist er für einen Moment eingeschlafen und hat das alles nur geträumt.*
- *Vielleicht hat er einfach Angst gehabt, weil es so dunkel war. Das hat ihn an seine Kindheit erinnert.*
- *Aber er ist doch kein Kind! Ich glaube ihm. Wieso soll es nicht Tote geben, die zu uns kommen?*

Was würden Sie in diesen Situationen machen?
Kennen Sie jemanden, der ein ähnliches Erlebnis hatte?
Berichten Sie.

A 4 **Ergänzen Sie die Sätze.**

1 Martin verließ Freitagabend das Büro, *um aufs Land hinauszufahren,* ____________ wo er Freunde besuchen wollte.

2 ____________, fuhr Martin über einen Feldweg.

3 Sie waren gekommen, ____________

4 Der Makler rief Corinna an, ____________ ____________.

5 Am nächsten Abend traf Corinna sich mit dem Makler, ____________ ____________

6 Die halbe Familie von Melanie kroch auf dem Gang und in allen Zimmern herum, ____________ ____________.

7 Nico, der Sohn von Carmen, befand sich an der amerikanischen Westküste in einer Klinik, ____________ ____________.

8 Dann rief Carmen in der Klinik an, ____________, was mit ihm los ist.

A 5 **Vergleichen Sie und ergänzen Sie die Regeln.**

Hauptsatz, Aussage 1			**Nebensatz (Finalsatz)** + Aussage 2 **um** → *Ziel/Absicht*		**zu + Infinitiv**
Sie	waren	gekommen	, **um**	mich	**zu holen** .

! Subjekt ◆ Vorsilbe ◆ Ziel

1 Sätze mit „um ... zu + Infinitiv" heißen Finalsätze. Mit einem Finalsatz drückt man ein ____________, eine Absicht aus.
2 Im „um ... zu + Infinitiv"-Satz steht kein ____________. Das Subjekt im Hauptsatz gilt auch für den „um ... zu + Infinitiv"-Satz.
3 Bei trennbaren Verben steht „zu" nach der ____________ (ab**zu**geben).

ARBEITSBUCH 3–9

A 6 **Arbeiten Sie zu zweit. Formulieren Sie Fragen und Antworten.**

Fragen

~~Tanzkurs besuchen~~ ◆ nach Paris fahren ◆
Zeitung lesen ◆ einen Kurs besuchen ◆
eine Katze kaufen ◆ Lotto spielen ◆
Knoblauch ins Zimmer hängen ◆
zum Friseur gehen ◆ nach Florida fahren

Antworten

eine Delfin-Show sehen ◆ den Eiffelturm sehen ◆
Vampire vertreiben ◆ eine neue Frisur ausprobieren ◆
Deutsch lernen ◆ Millionär werden ◆
informiert sein ◆ nicht allein sein ◆
~~neue Leute kennen lernen~~

● *Wozu besuchst du einen Tanzkurs?*
▲ *Um neue Leute kennenzulernen.*
● *Wozu ... ?*

A 7 **Spielen Sie.**

Jede(r) schreibt eine „Wozu"-Frage auf einen Zettel. Dann werden die Zettel eingesammelt und neu verteilt. Ziehen Sie eine Frage und fragen Sie einen TN.

Wozu kaufst du dir ein ... ?

Wozu ... ?

B Von Hellsehern, Wahrsagern und anderen Zukunftsdeutern

B 1 **Kennen Sie Methoden, in die Zukunft zu schauen? Berichten Sie.**

Wettervorhersage ◆ Wahlrede ◆ Horoskop ◆ Wahrsagen ◆
Weltbevölkerungsprognose ◆ Wahlprognose ◆ Zukunftsforschung

Ergänzen Sie die passenden Begriffe.

„Wer nichts weiß, der muss alles glauben."
MARIE VON EBNER-ESCHENBACH

B 2 Sortieren Sie die Prognosen oder Zukunftsvorhersagen aus B1 und begründen Sie.

Prognosen

seriös — unseriös

Vergleichen und diskutieren Sie Ihre Ergebnisse.

B 3 Was passt zusammen? Hören und markieren Sie.

2–18

- Wettervorhersage
- Weltbevölkerungsprognose
- Wahlrede
- Wahlprognose
- Horoskop
- Zukunftsforschung
- Wahrsagen

B 4 Lesen Sie die Aussagen. Suchen Sie alle Sätze mit „werden" und markieren Sie die Verben.

1 *Ein Sturmtief bei Schottland bestimmt morgen das Wetter in Deutschland. Die Temperaturen liegen am Tage in Oberlausitz bei 7 Grad, am Rhein bei 13 Grad. … Auch die nächsten Tage werden wenig Änderung bringen. …*

2 *Sie werden ein Haus bauen. Aber es wird viele Probleme geben. Sie werden jede Unterstützung brauchen können. Gehen Sie am besten gleich zu einer Rechtsanwältin. Und hier sehe ich …*

3 *Es ist nicht vorstellbar, dass es in 20 Jahren denkende Roboter geben wird. Aber wir werden mit allen möglichen elektronischen Geräten in einer sehr primitiven Sprache sprechen können. Vielleicht wird es 2050 Computer geben, die so schnell wie das menschliche Gehirn sind.*

4 *Wir werden Wege und Lösungen finden, für alle Arbeit zu schaffen. Und ich verspreche Ihnen: Wenn Sie uns wählen, dann wird es bald keine Arbeitslosen mehr in Deutschland geben. Deshalb: Wählen Sie …*

5 *Das wird eine anstrengende Woche für Sie. Sie werden viel Geduld brauchen. Saturn sorgt dafür, dass alles viel schwieriger ist als sonst.*
Auch von Ihren Kollegen werden Sie kaum Unterstützung bekommen. Sie werden alles allein machen müssen. Und Ihr Schatz wird diese Woche leider wenig Zeit für Sie haben. Vielleicht sollten Sie eine Woche in Urlaub fahren.

6 *Die SPD verliert 3,3 % der Stimmen und ist damit nur zweitstärkste Partei. CDU und CSU werden dagegen knapp 2 % mehr Stimmen erhalten. Die Grünen kommen auf 5,5.*
Die FDP wird den Einzug in den Bundestag diesmal schaffen. Sie liegt bei sicheren 5,6.

7 *Wie Sie sehen, gibt es laut Statistik heute über 6 Milliarden Menschen auf der Erde. Für das nächste Jahr prognostizieren die Experten einen erneuten Anstieg, und im Jahr 2025 werden mehr als 8 Milliarden Menschen auf der Erde leben.*

B 5 **Ergänzen Sie passende Sätze und die Regeln.**

...	Verb 1 (werden)	...	Verb 2 Infinitiv
1 *Auch die nächsten Tage*	*werden*	*wenig Änderung*	*bringen.*
2			
3			
4			
5			

! Zukunft ◆ Infinitiv ◆ Hauptsatz ◆ Nebensatz

Das Futur I

1 In der Regel benutzt man im Deutschen, wenn man über die ________________ spricht, das Präsens – mit entsprechenden Zeitangaben (morgen, in einer Woche, nächstes Jahr ...). Nur manchmal (z. B. in schriftlichen Texten oder bei offiziellen Anlässen, für Pläne, Prognosen und Versprechen) benutzt man dafür das Futur I.

2 Das Futur I bildet man mit „werden" und dem ________________ .

3 Im ________________ steht „werden" auf Position 2, der Infinitiv oder der Infinitiv + Modalverb im Infinitiv am Satzende.

4 Im ________________ steht „werden" nach dem Infinitiv am Satzende.
*Es ist nicht vorstellbar, dass es in 20 Jahren denkende Roboter **geben wird**.*

B 6 **Was sagt die Wahrsagerin der Frau und dem Mann für das nächste Jahr voraus? Hören und berichten Sie.**

19

Ihren Beruf nicht aufgeben ◆ nie wieder sehen ◆ gemeinsam ein Geschäft führen ◆ blonder Mann ◆ ~~neue Arbeit in London annehmen~~ ◆ viel Geld verdienen ◆ ~~nicht mit nach London gehen~~ ◆ heiraten ◆ eine rothaarige Frau kennenlernen ◆ allein leben ◆ drei Kinder bekommen ◆ nicht heiraten

Die Wahrsagerin sagt ...
der Frau: nicht mit nach London gehen — *dem Mann: neue Arbeit in London annehmen*

Berichten Sie mit Ihren Notizen, was die Wahrsagerin gesagt hat.

● *Die Wahrsagerin hat gesagt, dass der Mann eine neue Arbeit in London annehmen wird.*
▲ *Die Frau wird nicht mit ihm nach London gehen.*

B 7 **Üben Sie zu zweit. Ziehen Sie drei Karten und spielen Sie Wahrsagerin.**

Das war. Das ist jetzt. Das wird kommen.

C
Der Ton macht die Musik

20

*Heinz Erhardt, geb. 20. 2. 1909 in Riga – gest. am 5. 6. 1979 in Hamburg. Pianist und Kabarettist in Wrocław (Breslau) und Berlin. Nach dem 2. Weltkrieg erfolgreicher Bühnen- und Filmkomiker.

Tante Hedwig

(von Heinz Erhardt*)

Kennen Sie eigentlich schon Tante Hedwig? Sie ist eine ziemlich behaarte – ähm – ziemlich bejahrte Dame. Und sie ist ... legt Karten, nicht. Sie lebt davon. Sie legt Karten. So: grosses Glück übern kleinen Weg etcetera etcetera. Und ähm ...

Wenn du denkst es geht nicht geht nicht geht nicht,
geh zu Tante Hedwig Hedwig Hedwig.
Sie schaut in die Karten Karten Karten
und sagt dir ganz klipp und klar,
was noch kommt und was schon war.

Hedwig sieht mit scharfem Blick:
Herz Dame ist dein ganzes Glück.
Nur ein Bube, so ein Hecht,
der stört und das ist schlecht.

Und bist du mal liebeskrank,
ah, so braut sie dir 'nen Liebestrank.
Diesem Zauber, du wirst sehen,
kann niemand widerstehen.

Wenn du denkst es geht nicht geht nicht geht nicht,
geh zu Tante Hedwig Hedwig Hedwig.
Sie schaut in die Karten Karten Karten
und sagt dir ganz klipp und klar,
was noch kommt und was schon war.

Fehlt im Toto dir ein Gewinn,
geh nur zu Tante Hedwig hin.
Sie sagt dir ganz sicher, wann
man damit rechnen kann.

Liegt Pik acht neben der zehn,
haha – dann kann dir nichts danebengehen.
Dann geht alles gut soweit.
So, nun weisst du Bescheid.

Wenn du denkst es geht nicht geht nicht geht nicht,
na, da geh zu Tante Hedwig Hedwig Hedwig.
Sie schaut in die Karten Karten Karten.
Ja, und gibt dir ganz klar und klipp
sicherlich den richtigen Tipp.

Also geh!
Also geh zur ...
Also geh zur Tante ...
Also geh zur Tante Hedwig!

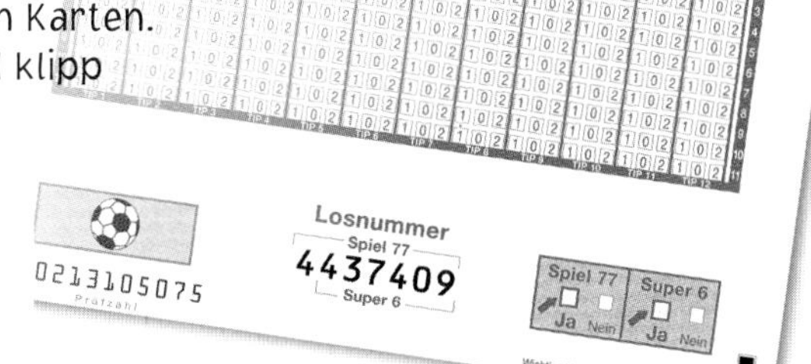

ARBEITSBUCH 15–20

D Alternative Medizin

D 1 Sprechen Sie über die Fotos und ergänzen Sie die Begriffe.

21–

Fußreflexzonenmassage ◆ ~~Homöopathie~~ ◆ Akupunktur ◆ Aromatherapie ◆ Chirotherapie ◆ Hypnose

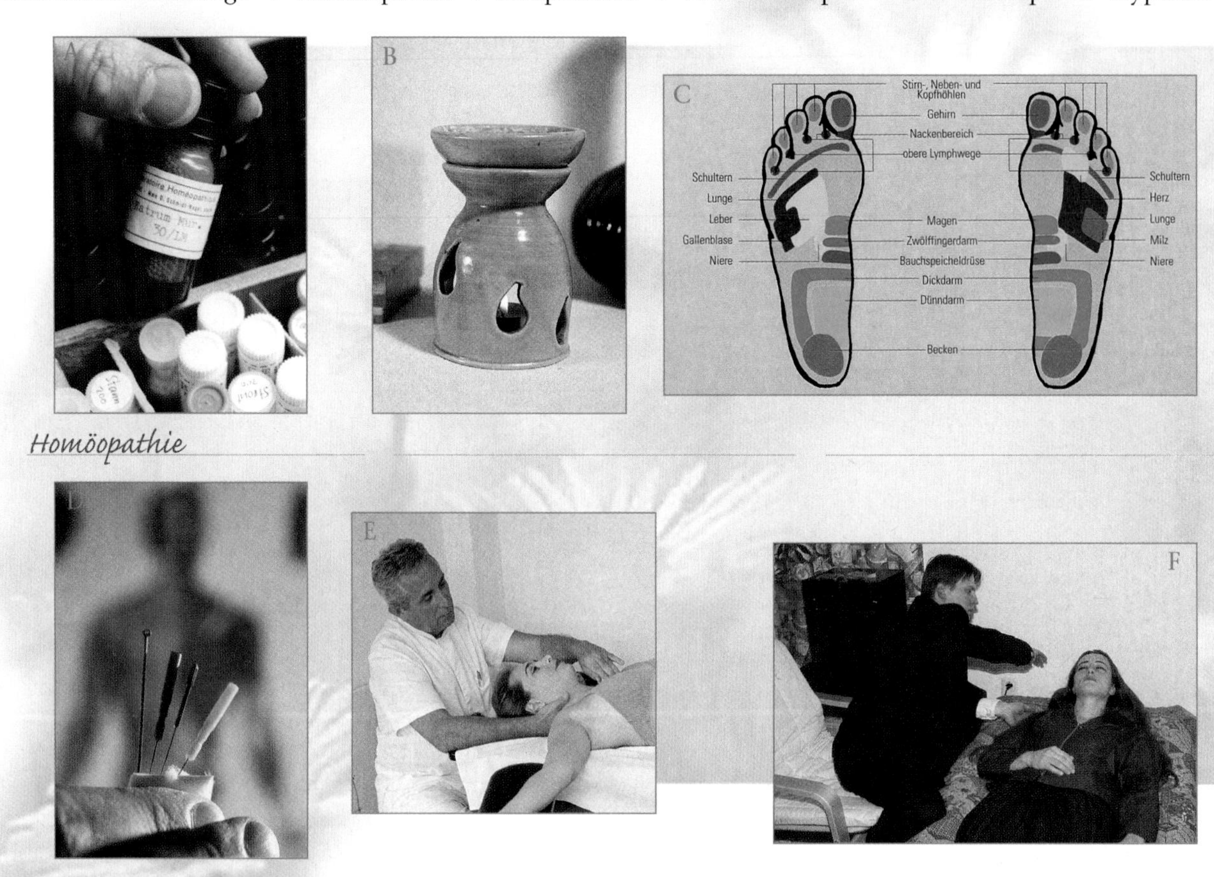

Welche alternativen Heilmethoden kennen Sie noch?

D 2 Lesen Sie die folgenden Beschreibungen und ergänzen Sie.

Heilmethode	hilft bei folgenden Krankheiten	Krankenkasse bezahlt: ja	nein
Aromatherapie	*Kopfschmerzen, …*		

Aromatherapie: Einatmen und sich wohlfühlen

Schon lange weiß man, dass bestimmte Düfte positiv auf Körper und Seele wirken. Bei der Aromatherapie werden fast 300 ätherische Öle aus Blüten, Blättern, Schalen und Hölzern verwendet, wie z. B. Rosmarin, Lavendel und Zitrone. Ätherische Öle enthalten Wirkstoffe in konzentrierter Form; sie dürfen deshalb nie unverdünnt angewendet werden, sondern müssen in einem neutralen Öl (z. B. Jojoba, Mandel) gelöst werden. Wir können Duftöle ins Badewasser geben; wir können uns damit massieren lassen oder eine Kompresse mit ein paar Tropfen Öl auf schmerzende Körperteile legen. Auch über spezielle Aromalampen lässt sich ihr Duft im ganzen Raum verteilen. Die Menschen fühlen sich beruhigt, entspannt oder auch angeregt. Was ist die Erklärung dafür?

Der Geruchssinn ist eng mit den Bereichen des Gehirns verbunden, die unsere Gefühle steuern. Wenn Aromaöle inhaliert oder eingerieben werden, können sie auch körperliche Beschwerden wie zum Beispiel Kopfschmerzen (Lavendel, Pfefferminze u. a.), Husten (Thymian u. a.) oder Schlafstörungen (Rose, Mandarine u. a.) lindern. Der Beruf des Aromatherapeuten ist in Deutschland bisher nicht anerkannt; daher wird die Aromatherapie von den Kassen in der Regel nicht bezahlt.

Chirotherapie: Knacks gegen den Hexenschuss

Handgriffe, die verspannte Muskeln und schmerzende Gelenke wieder beweglich machen, gab es schon vor viertausend Jahren in Ägypten und Thailand. Bei uns kam die Chirotherapie nach dem Zweiten Weltkrieg in Mode. „Manuelle Therapie", wie die Methode heute heißt, kann seit 1973 an den medizinischen Hochschulen als ein Bereich der Orthopädie studiert werden. „Manuelle Medizin" wird, wie der Name schon sagt, ausschließlich mit den Händen praktiziert. Dabei gibt es zwei Techniken: Bei der „Mobilisation" wird durch sanfte Bewegungen versucht, das Gelenk wieder zu „mobilisieren". Bei der „Gezielten Manipulation" versucht man durch eine schnelle Bewegung, aber nur mit geringer Kraft, ein Gelenk wieder beweglich zu machen. Dabei ist oft ein Knacken zu hören, und schwere Schmerzen werden sofort gelindert. Manuelle Therapie wendet man vor allem bei Rücken- und bei Kopfschmerzen an, die von Verspannungen im Bereich der Halswirbelsäule verursacht werden. Die gesetzlichen Krankenkassen bezahlen die manuelle Therapie, wenn sie von entsprechend ausgebildeten Orthopäden ausgeführt wird.

Akupunktur: Stiche gegen den Schmerz

Die Akupunktur kommt aus China und wird dort seit mehr als dreitausend Jahren angewendet. Die westliche Medizin arbeitet zwar erst seit wenigen Jahrzehnten mit dem Verfahren, doch es hat sich auch bei uns schon weitgehend durchgesetzt: Bei jeder zweiten Behandlung von Schmerzen des Bewegungsapparats und bei 20 bis 30 Prozent der Kopfschmerz- und Migränebehandlungen wird Akupunktur eingesetzt. Auch bei Asthma, Allergien, psychosomatischen Herzbeschwerden, Bluthochdruck, Schlafproblemen und Depressionen kommen die heilenden Nadeln zum Einsatz. Ihre Wirksamkeit ist durch Studien belegt. Wie funktioniert die Akupunktur? Die fernöstliche Medizin hat die Vorstellung, dass der Körper von bestimmten Energieflüssen (Meridianen) durchströmt wird. Fließt zu viel oder zu wenig Energie, wird der Mensch krank. Akupunktur soll helfen, den Energiefluss zu harmonisieren. Dazu werden Nadeln in bestimmte Punkte entlang der Meridiane gestochen, was fast überhaupt nicht wehtut.

Wenn Akupunktur zur Schmerzbehandlung eingesetzt wird, bezahlen die gesetzlichen Kassen. Einige erstatten die Kosten auch für die Behandlung anderer Krankheiten – wenn zuvor traditionelle Methoden versagt haben.

Erklären Sie eine Heilmethode mit eigenen Worten. Woher kommt sie? Wie wirkt sie? Machen Sie Notizen.

D 3 Welche Methode kann bei ... helfen?

1 Hexenschuss
2 Migräne
3 Heuschnupfen
4 Nervosität / Schlafstörungen
5 Husten
6 Herzschmerzen
7 Neurodermitis
8 Depressionen

Haben Sie schon einmal eine alternative Heilmethode ausprobiert? Berichten Sie.

D 4 **Markieren Sie die Verben und ergänzen Sie die Regeln.**

1 Bei der Aromatherapie werden fast 300 ätherische Öle aus Blüten, Blättern, Schalen und Hölzern verwendet.
2 Ätherische Öle dürfen nie unverdünnt angewendet werden, sondern müssen in einem neutralen Öl gelöst werden.
3 Manuelle Therapie wendet man vor allem bei Rücken- und bei Kopfschmerzen an, die von Verspannungen im Bereich der Halswirbelsäule verursacht werden können.
4 Die gesetzlichen Krankenkassen bezahlen die manuelle Therapie, wenn sie von entsprechend ausgebildeten Orthopäden ausgeführt wird.

! Partizip Perfekt ◆ Passiv-Hauptsatz ◆ Personen ◆ werden ◆ Passiv-Nebensatz

Das Passiv

1 Das Passiv kann überall dort vorkommen, wo es um Beschreibungen von Handlungen und Prozessen geht. Die handelnden ________________ sind nicht wichtig, nicht bekannt oder nicht vorhanden.
2 Das Passiv bildet man mit „werden" + dem Partizip Perfekt; ______________ steht auf Position 2 und das ______________________ am Satzende.
3 Im ______________________ mit Modalverb steht das Modalverb auf Position 2 und das Partizip Perfekt + „werden" im Infinitiv am Satzende.
4 Im ____________________ stehen die Verben am Ende. Die Reihenfolge ist:
Partizip Perfekt + „werden" ***oder*** **Partizip Perfekt + „werden" (Infinitiv) + Modalverb**

Suchen Sie in einem Text aus D2 alle Passiv-Sätze und markieren Sie die Verben.

ARBEITS... 24

D 5 **Was wird hier gemacht? Ergänzen Sie.**

Fußreflexzonenmassage: Kreisen, klopfen, drücken

Jedem Körperteil, jedem Organ (zuordnen) ________ bei der Fußreflexzonenmassage eine Reflexzone __________. Wenn sie beim Massieren wehtun, deutet das auf eine Erkrankung des entsprechenden Organs hin. Durch sanfte, kreisende Bewegungen, leichtes Klopfen oder auch kräftigen Druck ___soll___ eine positive Reaktion im entsprechenden Organ, Muskel oder Gelenk (auslösen) ____________ ____________.
Die Durchblutung (anregen) ________ ________. Verkrampfte Muskeln entspannen sich, Schmerzen lassen nach. Allerdings sollte niemand erwarten, dass es ihm sofort besser geht. Bei einer Massage pro Woche dauert es ungefähr sechs Monate, bis sich ein Erfolg einstellt. Wie viele andere Therapien, die der neuen „alternativen" Medizin (zurechnen) ______________ ________, ist die Fußreflexzonenmassage in Wahrheit uralt. In China und Indien (praktizieren) ________ sie seit gut fünftausend Jahren ____________; indianische Medizinmänner kannten sie, die ältesten bekannten Berichte europäischer Wissenschaftler stammen aus dem 16. Jahrhundert. Die Fußreflexzonenmassage (anwenden) ________ vor allem bei Migräne, Verdauungsstörungen, Menstruationsbeschwerden, Muskelverspannungen und Nervosität ____________. Die Behandlung (bezahlen) __________ von den gesetzlichen Krankenkassen in der Regel nicht ______________.

ARBEITS... 25–2...

D 6 **Diskutieren Sie in Gruppen. Pro und Kontra:**
Sollten Krankenkassen die Kosten für alternative Heilmethoden übernehmen?

E Zwischen den Zeilen

E 1 Was passt zusammen? Markieren Sie.

1 in Mode kommen	3	a)	etwas ist erfolgreich
2 zur Ruhe kommen		b)	nicht helfen
3 Erfolg bringen		c)	aktuell werden, immer öfter auftauchen
4 keine Besserung bringen		d)	sich hinsetzen
5 zu Ende bringen		e)	etwas lösen
6 Platz nehmen		f)	fragen
7 die Hoffnung aufgeben		g)	nicht mehr hoffen
8 eine Ursache finden		h)	etwas beenden
9 eine Lösung finden		i)	sich beruhigen, entspannen
10 eine Frage stellen		j)	einen Grund finden

Lerntipp:
Es gibt feste Verbindungen von Nomen mit Verben. Dann bestimmt das Nomen die Bedeutung und hat deshalb den Wortgruppen-Akzent. Man benutzt sie vor allem in der Schriftsprache. Lernen Sie solche Verbindungen immer zusammen und schreiben Sie Beispielsätze auf die Wortkarten (Vorder- und Rückseite):

E 2 Lesen und ergänzen Sie.

In den letzten Jahren sind verschiedene alternative Therapieformen in ______________ *1* gekommen. Die Gründe dafür sind unterschiedlich. Manche Menschen probieren einfach alles Neue aus. Bei anderen haben „normale" Therapien keinen ______________ *2* gebracht. Sie haben vielleicht die ______________ *3* schon aufgegeben, wieder gesund zu werden, und hören erst dann von alternativen Methoden. Und wieder andere haben dauernd Beschwerden, ohne dass die Ärzte überhaupt eine ______________ *4* dafür finden können. Wenn der Patient sich für alternative Heilmittel entscheidet, hat er oft schon einen langen Leidensweg hinter sich, auf dem er seiner Meinung nach von den Ärzten nicht ernst genommen wurde.

Ein solcher Fall ist Christoph P., 46, aus Hamburg. „Ich habe meinem Hausarzt immer vertraut", erzählt er. „Ich habe ihm nie viele ______________ *5* gestellt. Aber dann hatte ich eines Tages wirklich schreckliche Schmerzen, die nicht mehr aufhörten. Mein Arzt gab mir verschiedene Medikamente, aber die brachten keine ______________ *6*. Nachts bin ich oft überhaupt nicht mehr zur ______________ *7* gekommen, die Schmerzen wurden immer heftiger. Dann hat mir eine Freundin die Adresse eines Chirotherapeuten gegeben. Ich bin hingegangen und habe ihm mein Problem erklärt. Und dann ging es ganz schnell; er sagte nur: „Nehmen Sie ______________ *8*", und kaum saß ich auf dem Hocker, hob er mich hoch, es hat furchtbar geknackt, und die Schmerzen waren mit einem Schlag weg. Es war unglaublich!"

Aber nicht jeder findet wie Christoph P. die ______________ *9* seines Problems bei einem alternativen Arzt, und die „normalen" Ärzte warnen: „Auf jeden Fall sollte man eine herkömmliche Behandlung auch wirklich zu ______________ *10* machen, bevor man sie als erfolglos bezeichnet und zu alternativen Mitteln greift."

Martin Guhl, cartoonexpress

ARBEITSBUCH 30–33

F Kurz & bündig

Finalsatz „um ... zu + Infinitiv" § 49

Martin verließ Freitagabend das Büro,	**um** aufs Land **hinauszufahren**, wo er Freunde besuchen wollte.
Um ein paar Kilometer **abzukürzen**,	fuhr Martin über einen Feldweg.
Der Makler rief Corinna an,	**um** mit ihr einen Besichtigungstermin **zu vereinbaren**.
Am nächsten Abend traf sie sich mit dem Makler,	**um** sich die Wohnung **anzuschauen**.
Wozu besuchst du einen Tanzkurs?	**Um** neue Leute **kennenzulernen**.
Wozu hängt man Knoblauch ins Zimmer?	**Um** Vampire **zu vertreiben**.

Futur I § 15

Ein Sturmtief bei Schottland bestimmt morgen das Wetter in Deutschland.
Auch die nächsten Tage **werden** wenig Änderung **bringen**.
Sie **werden** jede Unterstützung **gebrauchen können**.
Sie **werden** alles allein **machen müssen**.
Es ist nicht vorstellbar, dass es in 20 Jahren denkende Roboter **geben wird**. Aber wir **werden** mit allen möglichen elektronischen Geräten in einer sehr primitiven Sprache **sprechen können**.
So **wird** die Wahl nach unserer Prognose **ausgehen**:
Die SPD verliert 3,3 % der Stimmen und ist damit nur zweitstärkste Partei. CDU und CSU **werden** dagegen knapp 2 % mehr Stimmen **erhalten**. Die FDP **wird** den Einzug in den Bundestag diesmal **schaffen**.
Im Jahr 2025 **werden** mehr als 8 Milliarden Menschen auf der Erde **leben**.

Passiv Präsens § 18

Fast 300 ätherische Öle aus Blüten, Blättern, Schalen und Hölzern **werden** bei der Aromatherapie **verwendet**. Ätherische Öle enthalten Wirkstoffe in konzentrierter Form; sie **dürfen** deshalb nie unverdünnt **angewendet werden**, sondern **müssen** in einem neutralen Öl **gelöst werden**.
Wenn Aromaöle **inhaliert** oder **eingerieben werden**, können sie auch körperliche Beschwerden wie zum Beispiel Kopfschmerzen, Husten oder Schlafstörungen lindern. Aromatherapie **wird** von den Kassen in der Regel nicht **bezahlt**.

Nützliche Ausdrücke

Es dauerte ewig, bis ich die Landstraße erreichte.	Die **halbe** Familie kroch auf dem Flur herum.
Ich dachte: **So eine** Wohnung **müsste man haben**!	**Zugegeben**: Es klappt nicht immer. Aber manchmal.
Wenn du denkst es geht nicht, geh zu Tante Hedwig.	Sie **sagt** dir ganz **klipp und klar**, was noch kommt und was schon war.
Was machen Sie, wenn Sie Muskelkater haben?	**Dann** nehme ich ein heißes Bad. Das tut gut.
Jedes Jahr im Winter habe ich **eine Erkältung nach der anderen**. Ich **komme überhaupt nicht zur Ruhe**.	Sie sollten **auf jeden Fall** auf eine vitaminreiche Ernährung achten.
Wie fühlst du dich, seit du Reiki machst?	**Ehrlich gesagt**: Gesünder fühle ich mich heute nicht, aber ich kann jetzt wenigstens mitreden.

Wünsche und Träume

LEKTION 3

A Auf zu neuen Ufern!

A 1 Sprechen Sie über das Foto.

A 2 Erfinden Sie eine kurze Geschichte dazu.

Name ◆ Alter ◆ Land ◆ Familienstand ◆ Beruf ◆ Was macht sie da? ◆ Auf wen wartet sie? ◆ Wohin möchte sie? ◆ Warum? ◆ Was denkt sie?

ARBEITSBUCH 1–4

Andere Länder, andere Sitten
[Sprichwort]

Fremd ist der Fremde nur in der Fremde.
[Karl Valentin]

„Alles in allem gibt es nur zwei Arten von Menschen auf der Welt – solche, die zu Hause bleiben und solche, die es nicht tun."
[Rudyard Kipling]

A 3 **Wer sind diese Leute? Warum sind sie im Ausland? Betrachten Sie die Fotos und raten Sie.**

Maria Malina (19)

Kyung-Ya Ahn (41)

Claude Vilgrain (34)

Klaus (42) und Sabine Schiller (44)

A 4 **Hören Sie und ergänzen Sie die Tabelle.**

21–24

	1	2	3	4
Name	*Maria Malina*			
Land	Polen			
Alter	19			
Familienstand				
Beruf (zur Zeit)				
Berufswunsch				
Hobbys				
sonstiges				

ARBEITS 5

A 5 **Arbeiten Sie zu zweit. Machen Sie eine Liste mit Fragen und interviewen Sie sich gegenseitig.**

Name ◆ Herkunft ◆ Familie ◆ Interessen ◆ Hobbys ◆ Beruf ◆ Berufswünsche ◆ Auslandserfahrungen ◆ Sprachkenntnisse ◆ ...

Stellen Sie jetzt Ihre Interviewpartnerin oder Ihren Interviewpartner vor.

B (Zweite) Heimat Deutschland?

B 1 Was bedeutet für Sie Heimat? Markieren und ergänzen Sie.

Heimat ist für mich ...

- mein Land.
- meine Stadt/mein Dorf.
- meine Familie.
- meine Sprache.
- mein Glaube.
- mein ...

- da, wo ich geboren wurde und aufgewachsen bin.
- da, wo mich alle kennen.
- da, wo mein Mann/meine Frau ist.
- da, wo ich mich wohl- und geborgen fühle.
- da, wo ich gerade lebe.
- da, wo ich eine gute Arbeit finde.
- ...

- der Geruch von ...
- der Geschmack von ...
- das Geräusch von ...
- ein Gefühl von ...
- die Erinnerung an ...
- ...

ARBEITSBUCH 6–7

B 2 Betrachten Sie die Fotos und lesen Sie die Bildunterschriften. Welche zwei Personen interessieren Sie am meisten? Warum?

1

Manuela, 22, Abiturientin, in Deutschland geboren, Eltern Portugiesen
„Deutschland ist meine Heimat."

2

Tahar, 22, Hotelfachmann, in München geboren, Eltern Tunesier
„Früher habe ich mich als Münchner gefühlt, heute eher als Gast."

3

Seval Yildirim, 29, Medienberaterin in Berlin, Türkin
„Man muss die Heimat verlassen, um zu erkennen, woher man kommt."

4

Jossi Fuss, 22, Jura-Student in London
„Heimat ist ein altmodischer Begriff, einfach nicht mehr zeitgemäß."

5

Tiziana, 20, Reiseverkehrskauffrau, Italienerin, lebt seit 16 Jahren in München
„Bei Fußball-Übertragungen brülle ich für Italien."

6

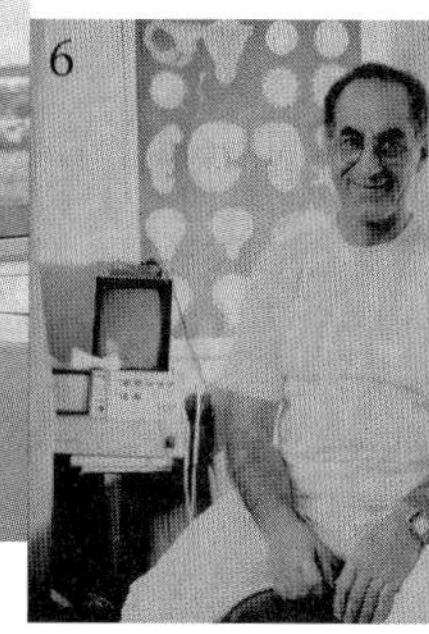

Dr. Fariborz Baghei, 57, Gynäkologe, Iraner
„Ich bin und bleibe Iraner, egal wie lange ich in Deutschland lebe."

B 3 Suchen Sie „Ihre" beiden Personen auf der folgenden Seite, lesen Sie die Texte und machen Sie Notizen zu folgenden Punkten.

Erfahrungen in Deutschland	*Heimat*	*Nationalität*	*doppelte Staatsangehörigkeit*

(Zweite) Heimat Deutschland?

1 Manuela Furtado, 22, Abiturientin, in Deutschland geboren, Eltern Portugiesen

„Deutschland ist meine Heimat."

Also: Wenn ich gefragt werde, woher ich komme, sage ich: aus Deutschland. Dann folgt hundertprozentig: „Aber ursprünglich?" Das kann ich nicht mehr hören. Deutschland ist meine Heimat. Portugal kenne ich nicht so gut. Mein Vater hat mich mal für vier Jahre zu meiner Oma nach Portugal geschickt, damit ich die Sprache und Kultur mitkriege. Ich hatte vier Jahre lang Heimweh nach Deutschland und Sehnsucht nach meinen Freunden. Die deutschen Bücher, die ich mitgenommen hatte, habe ich zehnmal gelesen, um meine Sprache nicht zu verlieren. Was mich ärgert, sind negative Bemerkungen über „die Ausländer" – so ein Quatsch: „Die Ausländer" gibt es doch gar nicht. Aber viele Leute plappern so was einfach nach, ohne groß darüber nachzudenken. Trotzdem: Ich möchte den deutschen Pass haben. Allerdings fände ich es besser, wenn ich beide Staatsangehörigkeiten haben könnte.

2 Tahar Mohamed, 22, Hotelfachmann, in München geboren, Eltern Tunesier

„Früher habe ich mich als Münchner gefühlt, heute eher als Gast."

Ich bin in München geboren. Meine Eltern kommen aus Tunesien, ich habe noch die tunesische Staatsangehörigkeit. Als Schüler habe ich von Ausländerfeindlichkeit nichts gemerkt. Erst als ich einen Job suchte, gab es Probleme. Von Tunesiern wird eben erwartet, dass sie sich ans Fließband stellen – es ist sehr schwierig einen qualifizierten Job zu kriegen. Früher habe ich mich als Münchner gefühlt, heute eher als Gast, trotzdem habe ich die Hoffnung auf einen guten Job noch nicht aufgegeben. Oft denke ich, ich werde hier nur geduldet, weil ich arbeite. Ich möchte die deutsche Staatsbürgerschaft beantragen, damit mir solche Erfahrungen in Zukunft vielleicht erspart bleiben.

3 Seval Yildirim, 29, Medienberaterin in Berlin, Türkin

„Man muss die Heimat verlassen, um zu erkennen, woher man kommt."

Heimat, das riecht für mich nach Zimt, Pfeffer und Ingwer. Wenn ich von Heimat träume, spüre ich den Geschmack salziger Meeresluft auf meiner Zunge. Ich habe lange am Meer in Izmir und Istanbul gelebt. Als ich vier Jahre alt war, zogen wir nach Bremen, von dort gingen wir nach Köln, wo ich die Mittelschule besucht habe. Aber meine Eltern wollten zurück in die Türkei. Sie haben mich mitgenommen, damit ich in Istanbul mein Abitur mache. Nach dem Abitur habe ich einen Studienplatz in Berlin bekommen. Es ist sehr angenehm, in Berlin zu leben: In einer Großstadt trifft man viele Menschen, die ihre Heimat aufgegeben haben, und ich fühle mich in dieser Internationalität sehr geborgen. Komischerweise bin ich erst in Berlin für meine Herkunft sensibilisiert worden. Man muss wohl erst die Heimat verlassen, um zu erkennen, woher man kommt. Den deutschen Pass habe ich beantragt, damit das Reisen in Europa für mich leichter wird.

4 Jossi Fuss, 22, Jura-Student in London

„Heimat ist ein altmodischer Begriff, einfach nicht mehr zeitgemäß."

Ich bin deutscher Jude oder, wenn Sie wollen, jüdischer Deutscher. Das ist ein ständiger Identitätskonflikt. Vielleicht habe ich deswegen kein Zugehörigkeitsgefühl zu einer speziellen Gruppe. In jedem Land gibt es Menschen, die mich nicht akzeptieren, aber auch solche, mit denen ich mich nicht identifizieren kann. Meine Freunde leben in Berlin, meine Eltern in Tel Aviv, und meinen Studienplatz habe ich in London. Heimat ist ein altmodischer Begriff, einfach nicht mehr zeitgemäß. Jetzt, wo alle vom Global Village reden. Wenn mich jemand fragt, sage ich immer: „Ich bin Europäer", um mich nicht festzulegen. In meinem Leben wird es immer temporäre Aufenthaltsorte geben, egal ob für ein Jahr, für zehn oder für zwanzig Jahre. Die Welt ist so groß.

5 Tiziana Leonardi, 20, Reisebüroangestellte, Italienerin, lebt seit 16 Jahren in München

„Bei Fußball-Übertragungen brülle ich für Italien."

Wo meine Heimat ist? Unsere Großfamilie ist hier – das vermittelt so was wie Heimat, und ich fühle mich hier wohl. Aber ich habe mich nicht total angepasst: Ich bin stolz, Italienerin zu sein und erzähle das ungefragt allen Leuten. Die reagieren immer begeistert: Ah, Italien! Spaghetti! Die Lebensart! Ich fahre mindestens einmal im Jahr nach Italien, damit der Kontakt zu den Freunden nicht verloren geht. Manchmal fahre ich auch nur für drei, vier Tage, um ein bisschen einkaufen zu gehen. Ich möchte meinen italienischen Pass behalten. Bei Fußball-Übertragungen brülle ich für Italien. Und bei Autorennen halte ich zu Michael Schumacher. Aber nur, weil er Ferrari fährt!

6 Dr. Fariborz Baghei, 57, Gynäkologe, Iraner

„Ich bin und bleibe Iraner, egal wie lange ich in Deutschland lebe."

Ich lebe seit 1960 in Deutschland, ohne schlechte Erfahrungen gemacht zu haben. Deutschland ist meine zweite Heimat. Die Frankfurter sind sehr nett, gastfreundlich und multikulturell. Eigentlich war ich nur nach Deutschland gekommen, um hier Medizin zu studieren. Aber dann habe ich meine Frau kennengelernt – sie ist Deutsche – und bin hier geblieben. Meine Praxis ist genauso international wie Frankfurt: 30 Prozent meiner Patientinnen sind Nicht-Inländer – den Begriff Ausländer mag ich nicht. Ich habe keinen deutschen Pass – wozu auch? Ich bin und bleibe Iraner, egal wie lange ich in Deutschland lebe. Etwas anderes ist es mit meinem Sohn. Er ist zweisprachig aufgewachsen, kennt beide Kulturen. Ich finde, es sollte selbstverständlich sein, dass man dann auch beide Pässe haben kann.

Wer ist wo zu Hause? Warum? Vergleichen und diskutieren Sie.

B4 **Vergleichen Sie und ergänzen Sie die Regeln.**

Hauptsatz, Aussage 1	**Nebensatz (Finalsatz)** Aussage 2 → *Ziel/Absicht*	**Verb(en)**
Mein Vater hat mich … nach Portugal geschickt,	**damit** ich die Sprache und Kultur	**mitkriege.**
Die deutschen Bücher … habe ich zehnmal gelesen,	**um** meine Sprache nicht **zu**	**verlieren.**

! damit ◆ Finalsätze ◆ um … zu + Infinitiv

1 Sätze mit „damit" und Sätze mit „um … zu + Infinitiv" heißen ________________ . So kann man ein Ziel oder eine Absicht ausdrücken.

2 Gibt es im Hauptsatz und im Nebensatz unterschiedliche Subjekte, beginnt der Nebensatz mit ____________ .

3 In Sätzen mit ________________________ steht kein Subjekt. Das Subjekt im Hauptsatz gilt auch für den Nebensatz.

Suchen Sie in den Texten von B3 weitere Sätze mit „damit" und „um … zu".

____

____

____

____

____

____

B5 **„Leben im Ausland" und „doppelte Staatsbürgerschaft": Was meinen Sie? Sortieren Sie die Argumente.**

ARBEITSBUCH 8–11

~~eine andere Kultur kennenlernen~~ ◆ sich (nicht) ~~anpassen~~ können/müssen ◆ ~~bessere~~/schlechtere Berufschancen ◆ die Identität (nicht) verlieren ◆ ein besseres Leben für die Familie ◆ eine Sprache lernen ◆ leichter reisen können ◆ mehr Chancen für die Kinder ◆ mehr Distanz zur eigenen Kultur ◆ (nicht) die gleichen Rechte haben ◆ (nicht) in beiden Ländern leben und arbeiten können/dürfen ◆ (nicht) mit der Familie zusammenleben können ◆ sich in … (nicht so) fremd fühlen ◆ sich (nicht) für ein Land entscheiden können/müssen ◆ wählen können/dürfen/müssen ◆ …

Leben im Ausland und doppelte Staatsangehörigkeit

+	–
eine andere Kultur kennenlernen	*sich anpassen müssen*
bessere Berufschancen	…

Diskutieren Sie zu dritt oder viert.

Ich würde gern in einem anderen Land (in …) leben, …
Ich hätte gern die „doppelte Staatsangehörigkeit", …
Die „doppelte Staatsangehörigkeit" ist wichtig für …, …

Ich möchte nicht gern im Ausland leben, …
Ich bin für / gegen die „doppelte Staatsangehörigkeit", …

um … zu
damit
weil

C Zwischen den Zeilen

C 1 „Das" oder „dass"? Lesen Sie den Text. Welche Regel passt zu „das" oder „dass"?

Das Haus der Kindheit

(nach Marie Luise Kaschnitz)

Es fing damit an, **dass** (1) ein Unbekannter auf der Straße vor mir stehen blieb und mich fragte, wo **das** (2) Haus der Kindheit sei. Was soll **das** (3) sein, fragte ich überrascht, ein Museum? Wahrscheinlich nicht, sagte der Mann. Warum suchen Sie dieses Haus? fragte ich. Ich habe dort zu tun, sagte der Mann, ich werde alt. Er zog höflich den Hut und entfernte sich. Ich ging weiter und bog aus Zerstreutheit in eine falsche Gasse ein. Als ich ein paar hundert Schritte gemacht hatte, sah ich **das** (4) Haus. Natürlich bin ich gleich zurückgelaufen, um dem Fremden Bescheid zu geben, aber ich habe ihn nicht mehr gefunden. **Das** (5) ist nicht weiter erstaunlich, wenn man bedenkt, **dass** (6) unsere Stadt sehr groß und besonders in der Mittagszeit voll von Menschen ist. Übrigens sind nach dem Krieg viele öffentliche Gebäude neu errichtet worden. Ich nehme an, **dass** (7) **das** (8) sogenannte Haus der Kindheit zu diesen Errungenschaften der Nachkriegszeit gehört. Soviel ich in der Eile gesehen habe, ist es ein großes, graues Gebäude ohne besonderen Schmuck, ausgenommen ein Jugendstilornament, **das** (9) über dem Portal angebracht ist. …

Marie Luise Kaschnitz, geb. 1901 in Karlsruhe, gestorben 1974 in Rom. Sie lebte in Königsberg, Marburg, Frankfurt und Rom, schrieb Gedichte, Romane, Erzählungen, Autobiografisches und zahlreiche Hörspiele. 1955 erhielt sie den Georg-Büchner-Preis.

„das" und „dass"

In Texten hat „das" verschiedene Funktionen:	Die Konjunktion „dass" leitet Nebensätze ein:
• als bestimmter Artikel steht es beim Nomen *2,* ______ ,	• nach Verben wie *glauben, wissen, meinen* ______ ,
• als Demonstrativpronomen steht es allein *3,* ______ ,	• nach Ankündigungen wie *Es fing damit an,* oder *Die Sache ist die,* ______ .
• als Relativpronomen leitet es Relativsätze ein ______ .	

C 2 Lesen Sie weiter und ergänzen Sie „dass" oder „das".

Die Sache ist die, ________ (10) mich schon ________ (11) Wort Kindheit einigermassen nervös macht. Wo im Gedächtnis der meisten Leute eine Reihe von hübschen, freundlichen Bildern auftaucht, ist bei mir einfach ein schwarzes Loch, in ________ (12) ich nur ungern schaue. Ich nehme an, ________ (13) dieses Vergessen eine bestimmte Ursache hat. Ich bin darum froh, ________ (14) ich ________ (15) sogenannte Haus der Kindheit nicht aufgesucht habe. …
Der Eintritt in ________ (16) Museum ist frei. Aber ________ (17) heißt natürlich nur, ________ (18) man nicht mit Geld bezahlen muss, und ________ (19) bedeutet so gut wie nichts. Ich könnte mir gut vorstellen, ________ (20) man in dem Haus der Kindheit seiner Freiheit beraubt wird. …

Wie sieht es im „Haus der Kindheit" aus? Wen trifft man dort? Was kann man dort erleben? Diskutieren oder schreiben Sie.

ARBEIT 13

D Ich habe einen Traum

D1 Wovon träumen diese Leute? Raten Sie mal.

– 1 –

– 2 –

– 3 –

eine Welt ohne Geld ◆ ein wirklicher Freund ◆ eine neue Liebe ◆ Unsterblichkeit ◆ Gin Tonic trinken, wann immer man Lust dazu hat ◆ reich und berühmt in die Heimat zurückkehren ◆ Saxofon spielen können wie Charlie Parker ◆ wieder ein Kind sein ◆ ein Sonnenuntergang in der Karibik ◆ ein Gewinn im Lotto ◆ …

D 2 **Lesen Sie einen Text und vergleichen Sie mit Ihren Vermutungen.**

Hans Olaf Henkel

Kürzlich kaufte ich mir einen Film über Charlie Parker. Dieser Film nahm mich gefangen. Charlie Parker war Jazz-Saxofonist. Ich finde, er war der genialste und vielleicht einflussreichste schwarze Musiker dieses Jahrhunderts. Er war mein Idol, als ich 16 war, deshalb kaufte ich alle seine Platten. Und noch heute ist er der Auslöser meines Traumes: Ich lege eine Platte auf, schließe die Augen, höre seine Musik, stelle mir vor, wie er auf der Bühne steht und stelle mir die Frage aller Fragen: Wie wäre es, wenn ich ein begnadeter Musiker wäre? Wenn ich zu Charlie auf die Bühne käme, neben ihm stehen und mit ihm spielen und improvisieren würde?
In meinem Traum ist da auch dieses Geräusch: ein Klopfen an der Tür. Er ist es selbst. Er drückt mir ein Saxofon in die Hand und sagt: Spiel es, hol alles aus ihm raus. Ich umarme mein Idol und erzähle es ihm: Ich kann kein Instrument spielen, ich kann nicht malen, ich habe nicht einmal eine schöne Handschrift. Charlie Parker würde mich ansehen und antworten: Mann, alles eine Frage der Übung, der Ausdauer, der Disziplin. Darauf ich: Du hast recht, aber es hat nicht gereicht dafür.
Ach, hätte ich doch als Kind gelernt, Saxofon zu spielen! Oder könnte ich wenigstens Klavier spielen so wie meine große Schwester! Aber ich bin ein Kriegskind … Also ist es ein Traum geblieben – mein Traum: ein Instrument so zu spielen, wie ich es mir ausmale – mit Gefühl, mit Sex-Appeal, mit Kraft und mit Schmerz.

Jennifer Larmore

Ich bin 41. Ich bin Mezzosopranistin. Ich sage das in der Reihenfolge, weil ich glaube, die einzige Mezzosopranistin zu sein, die über ihr Alter spricht. Mir macht es nichts aus, älter zu werden. Im Gegenteil, ich freue mich darauf. Denn wenn ich alt sein werde, nicht mehr auf der Bühne stehen kann, vielleicht noch ein paar Schüler unterrichte, werde ich mir einen Traum erfüllen und Gin Tonic trinken, wann immer ich Lust darauf habe. Alkohol ist schlecht für die Stimmbänder, er trocknet sie aus. Alkohol wird in der Regel da getrunken, wo ich mich so wenig wie möglich aufhalten sollte: auf Partys. Denn dort wird geraucht. Schon das Einatmen von Rauch trocknet die Stimmbänder aus. Manchmal, wenn ich abends im Hotel sitze, große Lust auf einen Drink habe, wünsche ich mir, ich könnte meine Stimmbänder herausnehmen. Wenn das ginge, dann redete ich nett mit ihnen, würde sie loben und ihnen danken, dass sie so wunderbare Stimmbänder sind. Dann würde ich mir ein, zwei Gin Tonics genehmigen und die Stimmbänder am nächsten Morgen wieder einsetzen. Sie hätten keinen Schaden genommen und wären genauso gut wie am Abend zuvor. Und ich würde wunderschön singen, als ob ich nie etwas getrunken hätte. Ich liebe meine Stimmbänder. Was wäre ohne sie aus mir geworden? Ohne sie hätte ich mir jedenfalls meinen größten Traum nicht erfüllen können: Musik zu machen.

Corinna May

Träume. Natürlich habe ich Träume. Ich träume sie überall. Ich träume so, wie ich lebe: mit allen Sinnen. Nur das Sehen fällt weg. Ich bin auch in meinen Träumen blind.
Träume. Ich denke, man träumt ein Leben lang. Wenn man keine Träume mehr hat, ist man leer. Als ich klein war, hatte ich diesen Traum sehen zu können. Er ist sicher immer noch da. Doch heute weiß ich, dass meine Augenkrankheit nicht operierbar ist. Und dennoch: sehen können – ich weiß nicht, wie das wäre, ob ich es wollte, ob ich mich operieren ließe … Wahnsinnig toll wäre es, alles zu sehen, was ich mir mit meinen Sinnen vorgestellt habe – bestimmt wäre das zu viel. Wahrscheinlich dürfte ich die Augen zuerst immer nur kurz öffnen und müsste sie dann gleich wieder schließen. Um dunkel zu haben. Und ich würde die Freundin nicht erkennen, wenn sie nicht redet – schlimm. Ich müsste sehen lernen, die Schrift lernen, das Schreiben lernen, alles, alles lernen. Was ich unbedingt sehen wollte, wenn ich sehen könnte? Einen Sonnenuntergang. Und einen Regenbogen. Den Sonnenuntergang kann mir kein Mensch erklären. Man erzählt mir von Farben, und wie schön er sein kann, wie verschieden. Ich würde dann in die Karibik fahren, am Meer sitzen und wüsste endlich, was es heißt, wenn eine rote Kugel im Meer versinkt. Das fände ich toll.

Arbeiten Sie in Gruppen und berichten Sie.

D 3 Lesen Sie die Beispiele, unterstreichen Sie die Verben und ergänzen Sie die Regeln.

Hans Olaf Henkel

Konjunktiv II: Fantasien, Träume, Wünsche (irreal)	Wirklichkeit (real)	
Wie wäre es, wenn ich ein begnadeter Musiker wäre?	*Gegenwart*	Er ist **kein** begnadeter Musiker.
Wenn ich zu Charlie Parker auf die Bühne käme, neben ihm stehen, mit ihm spielen und improvisieren würde?	*Gegenwart*	Er sitzt **zu Hause**, hört Musik von Charlie Parker und träumt.
Charlie Parker würde mich ansehen und antworten: Mann, alles eine Frage der Übung.	*Gegenwart*	Er träumt weiter ...
Ach, hätte ich doch als Kind gelernt, Saxofon zu spielen!	*Vergangenheit*	Er hat als Kind **nicht** gelernt, Saxofon zu spielen.
Oder könnte ich wenigstens Klavier spielen!	*Gegenwart*	Er kann **nicht** Klavier spielen.

! „haben" oder „sein" ◆ Fantasien, Träume, Wünsche ◆ Partizip Perfekt ◆ „würde + Infinitiv"

1 Den Konjunktiv II benutzt man, wenn man über ______________________ spricht.*
2 Den Konjunktiv II der Gegenwart bildet man ähnlich wie das Präteritum, oder man benutzt die Ersatzform ______________.
3 Den Konjunktiv II der Vergangenheit bildet man mit dem Konjunktiv II von ______________ und dem ______________ .

* Den Konjunktiv II bei höflichen Vorschlägen und Bitten kennen Sie schon: *Ich hätte gern ..., Würden Sie bitte ..., Könnten Sie bitte ..., Wir könnten ..., Wir sollten ..., Ich würde lieber ...*

D 4 Lesen Sie jetzt Ihren Text noch einmal und ergänzen Sie die Tabelle und die Regeln.

Konjunktiv II	Präteritum	Konjunktiv II	Präteritum
ich, sie/er/es/man		ich, sie/er/es/man	
dürfte	durfte	______	fand
______	konnte	______	ging
______	musste	*käme*	kam
sollte	sollte	______	ließ
wollte	wollte	______	wusste
______	hatte	______	redete
______	war		
______	wurde		

Lerntipp:
Die „Originalformen" des Konjunktivs II verwendet man
– immer bei *haben* und *sein*,
– immer bei den Modalverben,
Diese Formen sollten Sie lernen und benutzen!
– oft bei einigen unregelmäßigen Verben, wie *wüsste, fände, ginge, hieße, ließe, käme*
– selten bei allen anderen Verben.
Diese Formen sollten Sie nur erkennen.
Benutzen Sie in diesen Fällen die Ersatzform *würde + Infinitiv*.

! ähnlich ◆ Präteritum ◆ immer ◆ oft ◆ „würde + Infinitiv"

Konjunktiv II – Formen

1 **Regelmäßige Verben:** Die Formen von Konjunktiv II und ______________ sind gleich.
Deshalb benutzt man fast immer die Ersatzform ______________.

2 **Unregelmäßige Verben:** Die Formen von Konjunktiv II und Präteritum sind ________, aber:
Es gibt ________ Umlaute und ________ die Endung „-e" bei der 1. und 3. Person Singular.

ARBEITSBUCH 16–21

D 5 Ergänzen Sie die Konjunktiv-Formen.

Mein einziger wirklicher Traum ist die Unsterblichkeit. Ich möchte überhaupt nicht sterben. Wie wunderbar *wäre* (1) (sein) es, wenn ich immer weiter *schauen könnte* (2) (schauen können): Was in den nächsten 50 Jahren passiert – und dann wieder und wieder ... Es ________ (3) (sein) fantastisch. Ich will ewig leben und ewig genießen. Für mich ________ (4) (sein) es der größte Verlust, wenn ich das Leben nicht mehr ________ ________ (5) (wahrnehmen können), wenn ich keine Freude mehr an Dingen ________ (6) (haben), weil mein Körper oder mein Geist das nicht mehr ________ ________ (7) (zulassen). Das Schöne an der Unsterblichkeit ________ (8) (sein), dass man nicht krank ________ (9) (werden). Ich habe Angst vor der Abhängigkeit, in die man bei Krankheit gerät. Ich ________ meine Unsterblichkeit gerne in der großen Familie ________ (10) (verbringen), bei Menschen, mit denen man Lust auf Gespräche, Fragen und Streit hat. Wenn ich nur eine Person in meinen Traum ________ ________ (11) (mitnehmen dürfen), ________ (12) (sein) es meine Mutter. Sie ist 77, und ich will nicht, dass sie stirbt. Ich nehme sie einfach mit auf die große Reise, die nie endet ...

Wären Sie gerne unsterblich? Warum (nicht)? Schreiben Sie.

D 6 Formulieren Sie Fragen und machen Sie ein Partnerinterview.

Was würden Sie machen/sagen, wenn ...? *Was wäre, wenn ...?*

Was hättest du gemacht/gesagt, wenn ...?

viel Geld haben/finden ◆ kein Geld zum Leben brauchen ◆ nicht arbeiten müssen ◆ ... Jahr(e) Urlaub haben ◆ sich einen anderen Beruf aussuchen können ◆ noch einmal heiraten können ◆ den Autoschlüssel ... verlieren ◆ in den falschen Zug einsteigen ◆ in einer fremden Stadt ohne Adresse und Stadtplan ankommen ◆ Erfinderin/Erfinder sein ◆ Präsidentin/Präsident des Landes sein ◆ einen Tag lang eine Frau sein / ein Mann sein ◆ im ... Jahrhundert leben ◆ in ... geboren sein ◆ in ... leben ◆ vor den Vereinten Nationen eine Rede halten dürfen ◆ die Hauptrolle in einem Kinofilm spielen ◆ der Papst/... kommt zu Besuch ◆ es gibt keine Grenzen/Autos/... ◆ die Menschen haben keine Augen... ◆ ...

- ● *Was würden Sie machen, wenn Sie viel Geld hätten?*
- ▲ *Eine Reise in die Karibik.*
- ■ *Ich würde mir ein schönes, altes Haus kaufen.*
- ● *Was hättest du gemacht, wenn du in den falschen Zug eingestiegen wärst?*

...

D 7 Was wünschen Sie sich? Ergänzen Sie die Sätze.

Ich wäre gern wie ... ◆ Ich würde gern ... ◆ Ach, könnte ich doch nur ... ◆ Ich hätte gern ... ◆ Hätte ich doch nie ... ◆ Wäre ich doch nie ... ◆ Ach, würde ich doch nicht so viel ... ◆ Hätte ich doch nicht so oft ... ◆ Hätte ich dir doch nur ... ◆ Ich fände es toll, wenn ... ◆ Es wäre schön, wenn ... ◆ ...

E Der Ton macht die Musik

Lesen Sie und unterstreichen Sie alle Konjunktiv-Formen.

Manchmal wünschte ich …

(von Reinhard Mey*)

Manchmal wünschte ich, meine Gedanken wären ein Buch
und du könntest darin lesen,
was ich glaub, was ich denk, was ich zu tun versuch,
was richtig und was falsch gewesen.
Du könntest darin blättern und dich sehen.
Es erzählt dir Zeile für Zeile
Gedanken, die ich mit dir teile, ohne dass Worte deren Sinn verdrehen.

Manchmal wünschte ich, meine Gedanken wären ein Buch,
aber nun hab ich unterdessen,
während ich noch die richtigen Worte dafür such,
meinen Gedanken schon vergessen.

Manchmal wünschte ich, meine Zeit wäre wie Eis
und würde nicht von selbst verfließen,
nur wenn ich ein Stück davon bräuchte, gäbe ich's preis
und ließe es tauen und zerfließen,
ich nähme ein Stück und taute es zur Zeit
und vielleicht fände ich meine alten
Versprechen, die ich nicht gehalten
noch einzulösen die Gelegenheit.

Manchmal wünschte ich, meine Zeit wäre wie Eis
dann hätt' ich so viel Zeit gewonnen,
doch während ich darüber nachdenk, ist ganz leis
ein Stück von unserer Zeit zerronnen.

Manchmal wünschte ich, meine Liebe wäre ein Haus
mit hellen Fenstern, hohen Türen
und du sähest Dach und Giebel ragen hoch hinaus,
könntest sie sehen und berühren,
dann hättest du den Schlüssel für das Tor
zu allen Zimmern allen Schränken
und deine Freiheit einzuschränken
legtest nur du die Riegel selber vor.

Manchmal wünschte ich, meine Liebe wäre ein Haus
mit Giebeln, die zum Himmel ragen,
mal ich dir meine Liebe schon vergebens aus,
will ich sie dir wenigstens sagen.

** Reinhard Mey, geb. 21.12.1942 in Berlin, Liedermacher*

25

Jetzt hören und lesen Sie.

(in Buch/Zeitschrift) blättern: eine Seite nach der andern kurz anschauen
(den Sinn) verdrehen: (ins Gegenteil) verändern
verfließen/zerfließen/tauen: nicht mehr fest sein, flüssig werden (z. B. Eis)
preisgeben: hergeben, aufgeben

zerrinnen (Zeit): zerfließen, vorbeigehen
Freiheit einschränken: Grenzen setzen
den Riegel vorlegen: abschließen, Grenzen setzen
(jemand etwas) ausmalen: genau beschreiben

Sempé

ARBEITSBUCH 23–27

F Kurz & bündig

Finalsätze § 49 | **mit „um ... zu + Infinitiv" oder „damit"**

Ich war nur nach Deutschland gekommen,	**um** hier Medizin **zu studieren**.
Ich fahre mindestens einmal im Jahr nach Italien,	**damit** der Kontakt zu den Freunden nicht verloren geht.
Manchmal fahre ich nur für drei, vier Tage,	**um** ein bisschen einkaufen **zu gehen**.
Ich möchte die deutsche Staatsangehörigkeit beantragen,	**damit** mir solche Erfahrungen in Zukunft erspart bleiben.
Ich sage immer: „Ich bin Europäer",	**um** mich nicht **festzulegen**.
Meine Eltern haben mich mitgenommen,	**damit** ich in Istanbul mein Abitur mache.
Man muss wohl erst die Heimat verlassen,	**um zu erkennen**, woher man kommt.
Den deutschen Pass habe ich beantragt,	**damit** das Reisen für mich leichter wird.

Konjunktiv II § 17

Manchmal, wenn ich abends im Hotel sitze, große Lust auf einen Drink habe, wünsche ich mir, ich **könnte** meine Stimmbänder **herausnehmen**. *Wenn* das **ginge**, dann **redete** ich nett mit ihnen, **würde** sie loben und ihnen danken, dass sie so wunderbare Stimmbänder sind. Dann **würde** ich mir ein, zwei Gin Tonics **genehmigen** und die Stimmbänder am nächsten Morgen wieder **einsetzen**. Sie **hätten** keinen Schaden **genommen** und **wären** genauso gut wie am Abend zuvor. Und ich **würde** wunderschön **singen**, *als ob* ich nie etwas **getrunken hätte**.

Was **würden** Sie **machen**, *wenn* Sie viel Geld **hätten**?	Eine Reise in die Karibik.
Was **würden** Sie **tun**, *wenn* es keine Autos mehr **gäbe**?	Zu Fuß gehen.
Was **hättest** du **gemacht**, *wenn* du dir einen anderen Beruf **hättest aussuchen können**?	Dann wäre ich vielleicht Politiker geworden.
Du strahlst so, *als ob* du im Lotto **gewonnen hättest**!	Im Lotto habe ich nicht gewonnen, aber ich habe die Prüfung bestanden.

Nützliche Ausdrücke

Heimat ist für mich **da, wo** ich geboren wurde und aufgewachsen bin.
Bei Autorennen halte ich zu Michael Schumacher. **Aber nur, weil** er Ferrari fährt!
Komischerweise bin ich erst in Berlin für meine Herkunft sensibilisiert worden.
Das kann ich nicht mehr hören.
Die Sache ist die, dass mich schon das Wort Kindheit nervös macht.
Das ist **alles eine Frage der Übung**, der Ausdauer, der Disziplin.
Hauptsache, man ist offen für das Neue.
Erfahrungen im Ausland sind ja heute **ein Muss**.
Von da an hatte ich diesen **Floh im Ohr**.

Berufe

LEKTION 4

A Ein Job geht um die Welt

A 1 **Sprechen Sie über die Frauen.**

ARBEITSBUCH 1–2

Wo leben und arbeiten diese Frauen?
Was sind sie wohl von Beruf?
Macht ihnen ihr Beruf Spaß?
Kennen sie sich gut?
Wie halten sie miteinander Kontakt?
Was machen sie wohl in ihrer Freizeit?

Arbeiten wir, um zu leben,
oder leben wir, um zu arbeiten?

A 2 **Lesen Sie den Artikel und machen Sie Notizen.**

Name	*Land*	*Kunden*	*Arbeitsbedingungen*	*Freizeit/Urlaub*
Fernanda Bueno	*Brasilien (São Paulo)*	*ausländ. Pharma-Unternehmen*	*kleines Büro (2 Kollegen) 8.30 bis ?, $ 4000, viele Reisen*	*Freundschaften mit ausländ. Kollegen, schwimmen gehen*

Fernanda Bueno (29), São Paulo

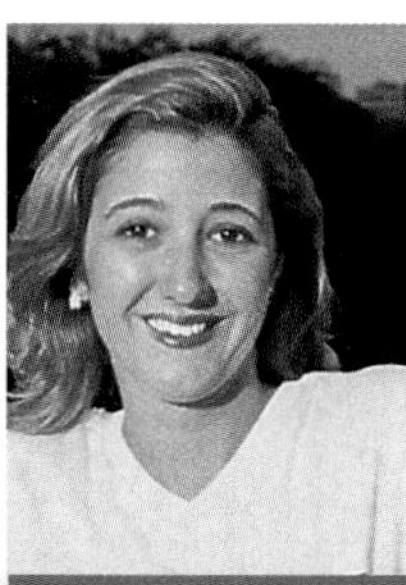

Meine zwei Mitarbeiter und ich arbeiten sehr international. Wir koordinieren hier die PR-Arbeit für mehrere ausländische Pharma-Unternehmen, sodass ich viel reisen muss. Vor Kurzem war ich auf einem Kongress in New York, nächste Woche fliege ich zu einem Meeting nach London. Außerdem telefoniere ich ständig mit den Büros in Argentinien und den USA. Dadurch sind schon echte Freundschaften mit Kollegen im Ausland entstanden. Ich verdiene 4000 US-Dollar im Monat. Manchmal ist der Job so anstrengend, dass meine Gesundheit leidet. Ich rauche zu viel und schlafe zu wenig. Deshalb plane ich bewusst Pausen in meinen Tagesablauf. Zum Relaxen fahre ich mittags gerne in ein Restaurant, aber oft reicht die Zeit nur für ein Sandwich. Und fast jeden Tag gehe ich nach Feierabend eine Runde schwimmen.

Tokio, Dienstag, 18.45 Uhr. Miyuki Ogushi (25) hat wieder einmal so viel Arbeit, dass sie jetzt noch an ihrem Schreibtisch sitzt. Sie ist PR-Beraterin bei PRAP, der japanischen Agentur von Ketchum Public Relations Worldwide. Miyuki schreibt einen Brief an einen internationalen Kunden. Im Infopool Ketchum Global Network gibt es Informationen über das Unternehmen. Alle Ketchum-Mitarbeiter (und das sind über 1 500 weltweit) haben Zugriff auf diese Daten, sodass Miyuki die gewünschten Informationen per Mausklick bekommen kann. Zur selben Zeit im 9370 Kilometer entfernten Ketchum-Büro in München, 11.46 Uhr. Petra Sammer (32) geht ins firmeneigene Intranet, um eine Anfrage Richtung São Paulo zu mailen. Dort ist es jetzt 6.46 Uhr früh, Fernanda Bueno steht noch zu Hause unter der Dusche. Distanz zwischen hier und dort: 9850 Kilometer. Fernanda wird antworten, sobald sie im Büro ist. Man kennt sich von internationalen Meetings. Jedes Mitglied der Ketchum-Familie spricht neben der Muttersprache mindestens fließend Englisch, sodass sich alle miteinander verständigen können. Um 8.30 Uhr sitzt Fernanda Bueno vor dem PC. Fernanda mailt gerade Richtung München: „Dear Petra, thanks for your message. Of course I can give you the information ..." Der Arbeitstag beginnt.

Miyuki Ogushi (25), Tokio

Sehr viel Freizeit habe ich nicht. Ich arbeite meist bis acht Uhr abends und muss dann noch gut zwei Stunden mit dem Zug nach Hause fahren, sodass nur noch Zeit fürs Abendessen bleibt. Wir arbeiten hier in zwei Großraumbüros mit 50 und 80 Leuten. Nur der Chef und sein Stellvertreter haben eigene Büros. Das Arbeitsklima ist aber okay. Mit einigen Kollegen verstehe ich mich so gut, dass wir uns auch privat treffen. Wir fahren dann am Wochenende gemeinsam ans Meer oder zu den heißen Quellen in die Berge. Ich bin für die Öffentlichkeitsarbeit einer New Yorker Modefirma und einer internationalen Hotelkette zuständig. Mein Gehalt ist nicht schlecht: 1400 US-Dollar im Monat. Mit dem Job bin ich sehr zufrieden. Ich würde nur gern irgendwann mal eine Zeit lang ins Ausland gehen.

Petra Sammer (32), München

Ich fahre gern frühmorgens mit dem Fahrrad durch die Münchner City zur Arbeit. Meistens bin ich schon um sieben Uhr im Büro, da kann ich ungestört arbeiten. Dann checke ich zuerst meine E-Mails und Faxe oder telefoniere mit Kollegen in Sydney oder Tokio. Zurzeit arbeite ich an einem Konzept für Burger King. Wir sind hier fünfzig Leute, alle in einem großen Raum. Die Schreibtische und Schränke sind aber so gestellt, dass jeweils zwei Mitarbeiter so eine Art kleines Büro haben. Ich verdiene gut, über 35 000 Euro im Jahr, aber: Es ist immer so viel zu tun, dass ich selten vor 19 Uhr hier rauskomme – meist mit einem Stapel Zeitschriften und Fachliteratur für zu Hause. Ab und zu fahre ich zu internationalen Ketchum-Meetings oder Workshops nach New York, Florida oder London. Mit einigen Kollegen habe ich mich angefreundet, und wir mailen uns regelmäßig. Meine Ferien verbringe ich dieses Jahr bei meiner Ketchum-Freundin Alicia in Hongkong.

Vergleichen Sie die Arbeitsbedingungen. Wo würden Sie am liebsten arbeiten? Warum?

Arbeitszeit ◆ Aufgaben / Kunden ◆ Gehalt ◆ Land / Ort ◆ Räume ◆ Zahl der Mitarbeiter ◆ ...

A 3 Lesen Sie den Text noch einmal und ergänzen Sie die Sätze.

Hauptsatz			Nebensatz (Konsekutivsatz)
Typ 1	Aussage 1 *(Grund)*		**sodass** + Aussage 2 *→ Folge, Ergebnis*
Alle Ketchum-Mitarbeiter haben Zugriff auf diese Daten,			**sodass** Miyuki sich die gewünschten Informationen per Mausklick besorgen kann.
Jedes Mitglied der Ketchum-Familie spricht fließend Englisch,			________________ .
Typ 2	Aussage 1	**so** ... *(betonter Grund)*	**dass** + Aussage 2 *→ Folge, Ergebnis*
Bueno: Manchmal ist der Job		**so** anstrengend,	________________ .
Ogushi: Mit einigen Kollegen verstehe ich mich		________ ,	________________ .

Ergänzen Sie die Regeln und suchen Sie weitere Sätze mit „sodass" und „so ..., dass" in A 2.

! dass ◆ Folge ◆ Grund ◆ Nebensätze ◆ rechts vom ◆ so

1 Sätze mit „sodass" sind ________________ . Sie stehen immer ____________ Hauptsatz.
2 Der Hauptsatz nennt den ____________ , der „sodass"-Satz betont die ____________ .
3 Wenn ein Wort im Hauptsatz mit ________ betont wird, beginnt der Nebensatz nur mit ________ .

ARBEITSBUCH 3–6

A 4 Verbinden Sie die Sätze und schreiben Sie über die moderne Arbeitswelt.

1 Die moderne Technik erleichtert die Kommunikation. Viele Firmen arbeiten heute international.
2 Stellenangebote werden im Internet ausgeschrieben. Jeder kann sich für Jobs auf der ganzen Welt bewerben.
3 Gute Bewerber haben Auslandserfahrung und sind flexibel. Sie können ohne Probleme überall eingesetzt werden.
4 In großen Firmen arbeiten oft internationale Teams zusammen. Fremdsprachenkenntnisse werden immer wichtiger.
5 Immer mehr Arbeitsplätze sind mit Computern ausgestattet. Jeder braucht heute PC-Kenntnisse.
6 Millionen Menschen haben heute einen E-Mail-Anschluss. Sie können in Sekundenschnelle von überall erreicht werden.
7 Geschäftsleute haben immer ihr Handy dabei. Man kann sie jederzeit telefonisch erreichen.
8 Heute kann jeder mit jedem jederzeit Kontakt aufnehmen. Grenzen und Entfernungen spielen keine große Rolle mehr.

1 Die moderne Technik erleichtert die Kommunikation, sodass viele Firmen heute international arbeiten.
2 Viele Stellenangebote werden im Internet ausgeschrieben, so ...

ARBEITSBUCH 7

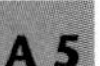

A 5 Wie arbeiten Sie? Wie würden Sie gern arbeiten? Berichten Sie.

alleine/selbstständig/im Team/im Großraumbüro/in einem Geschäft/ ... arbeiten ◆ ganztags/halbtags/stundenweise arbeiten ◆ viel telefonieren/am PC arbeiten/stehen/sitzen/reisen/ ... (müssen) ◆ Stress/Freizeit/Zeit für die Familie haben ◆ einen weiten/kurzen Weg zur Arbeit haben ◆ früh/spät aufstehen/nach Hause kommen ◆ ...

Beruf oder Berufung?

B 1 Lesen Sie einen Text und ergänzen Sie die Tabelle.

	Tätigkeit Aufgaben	Voraussetzungen Anforderungen	Vorteile des Berufs	Nachteile des Berufs
Reiseleiter/in				

Reiseleiter/in

In der Welt herumreisen und dafür auch noch Geld bekommen – für viele nach wie vor ein Traumberuf. Die Realität kann allerdings ganz anders sein. Schlechtes Wetter, falsches Hotel, gestohlenes Geld: Immer trifft der Ärger der Gäste den Reiseleiter. Viel Arbeit ist es sowieso: das Erledigen der Einreiseformalitäten, der Umtausch von Geld, das Organisieren von Ausflügen oder Eintrittskarten, Antworten auf die ungewöhnlichsten Fragen haben – und das alles rund um die Uhr. Ein Reiseleiter braucht gute Gesundheit, Menschenkenntnis, Geduld, Unternehmungslust, Organisations- und Improvisationstalent, Durchsetzungsvermögen und natürlich solide Kenntnisse der Sprache des Reiselandes. Der Beruf des Reiseleiters ist kein anerkannter Ausbildungsberuf. Man kann nicht immer selbst bestimmen, wo man arbeiten möchte, und die Stellen sind zeitlich begrenzt. Das Privatleben kommt wegen der vielen Reisen oft zu kurz, daher sind oft junge Leute Reiseleiter. Andererseits lernt man die Welt und die Menschen kennen. Ein Reiseleiter kann auch als Animateur im Musik- oder Sportbereich arbeiten oder bei einem Fremdenverkehrsamt.

Polizist/in

Polizisten sollen für die Sicherheit der Menschen sorgen, bei Unfällen helfen und Kriminalfälle lösen – vom Fahrraddiebstahl bis zum Mord. In Leitungspositionen planen und koordinieren sie die Einsätze von Schutzpolizei und Kripo oder leiten eine Dienststelle. Als Mitglied der Polizei sollte man wegen der Einsätze in Gruppen Teamgeist haben, auch in Stresssituationen die Übersicht behalten, ein gutes Gedächtnis haben und unbestechlich sein. Polizisten haben einen abwechslungsreichen Beruf und als Beamte innerhalb des Staatsdienstes einen sicheren Arbeitsplatz, aber sie müssen oft im Schichtdienst arbeiten, und manche Einsätze sind gefährlich. Die Ausbildungszeit ist verschieden: anderthalb bis vier Jahre – je nach Bundesland, Schulabschluss und angestrebter Laufbahn (einfacher, mittlerer, gehobener und höherer Dienst). Außerhalb des Staatsdienstes können Polizisten als Detektive arbeiten oder für private Sicherheitsdienste (z. B. für Geldtransportfirmen und Bodyguard-Agenturen).

Kfz-Mechaniker/in (Kraftfahrzeugmechaniker/in)

Die Aufgabe des Kfz-Mechanikers ist es, Kraftfahrzeuge aller Art zu reparieren: die Suche nach Fehlern, die Reparatur von Schäden und der Austausch von Teilen. Unterhalb des Blechs, bei Motor, Vergaser und Auspuff beginnt seine Welt. Er kennt das Auto in allen Einzelteilen und steckt oft bis zu den Ellenbogen im Öl. Aber man kann einen Wandel des Berufsbildes sehen: War seine Arbeit früher überwiegend handwerklich-praktisch, so gehören heute auch moderne elektronische Prüfgeräte, Computer und der Kontakt mit Kunden und Lieferanten dazu. Kfz-Mechaniker sollten handwerkliches Geschick und Spaß am Basteln haben. Wichtig sind aber auch Zuverlässigkeit und Gründlichkeit, denn sie sind oft für die Verkehrssicherheit des Autos verantwortlich. Die technischen Entwicklungen stellen den Kfz-Mechaniker vor immer neue Aufgaben und verlangen von ihm Flexibilität und Lernfähigkeit. Schon während der Lehrzeit sind seine Fähigkeiten im Freundeskreis oft sehr gefragt. Kfz-Mechaniker können auch in der Autoproduktion arbeiten oder sich auf bestimmte Fahrzeuge wie Landmaschinen oder Zweiräder spezialisieren.

Vergleichen Sie die Ergebnisse.

B 2 **Lesen Sie die Texte noch einmal und ergänzen Sie die Lücken und die Regeln.**

f	*m*	*n*	*Pl*
im Laufe de_ Zeit während de_ Lehrzeit	der Beruf de_ Reiseleiter_ innerhalb de_ Staatsdienst__ außerhalb de_ Staatsdienst__	Sprache de_ Reiseland__ unterhalb de_ Blech_ ein Wandel de_ Berufsbild__	Ärger de_ Gäste wegen de_ Einsätze in Gruppen

Der Genitiv

der Beruf des Reiseleiters | *innerhalb* des Staatsdienstes
Bezugswort ← *Genitiv* | *Präposition* + *Genitiv*

! s ◆ Präpositionen ◆ r

1 Der Genitiv beschreibt sein Bezugswort genauer.
Der Genitiv steht zum Beispiel nach ______________ wie „während", „innerhalb", „außerhalb", „unterhalb" oder „wegen".
2 Das Genus-Signal für den Genitiv: *f* und *Pl* _____ , *m* und *n* _____ .

Ersatzform: „von" + DAT
der Umtausch von Geld
das Organisieren von Ausflügen
die Einsätze von Schutzpolizei und Kripo
die Reparatur von Schäden
der Austausch von Teilen

B 3 **Ergänzen Sie die Genitive.**

Beruf: Vertriebs-Chefin

Kann man mit Hauptschulabschluss eine Chefkarriere machen? Man kann, wenn man den Willen und das Talent von Gabriele Oster hat. Die 36-Jährige hat zu Beginn ______________________ *(ihr Berufsleben)* in einer Parfümerie den Beruf ______________________ *(die Verkäuferin)* erlernt und ist heute Vertriebsleiterin ______________________ *(die Firma)* Impex Electronic in Koblenz mit rund 150 Mitarbeitern. Was ist Gabrieles Geheimnis? „Ich bin Schritt für Schritt mit dem Unternehmen gewachsen", sagt sie. Nach der Ausbildung in der Parfümerie hat sie bei Impex Electronic den Beruf ______________________ *(die Kauffrau)* für den Groß- und Außenhandel erlernt. Nach einigen Fortbildungen wurde sie Chefsekretärin und bekam fünf Jahre später die Stelle ______________________ *(die Personalleiterin)*. Gleichzeitig übernahm sie Aufgaben im Bereich ______________________ *(das Marketing)*, was mit zahlreichen Auslandsreisen verbunden war. Diesen Job machte sie so gut, dass sie vor zwei Jahren die Verantwortung für den gesamten Bereich ______________ *(der Vertrieb)* bekam. Ein weiterer Höhepunkt ______________________ *(ihre Karriere)*: Sie wurde Mitglied ______________________ ______________________ *(der Prüfungsausschuss, die Industrie- und Handelskammer)* und prüft heute selbst junge Außenhandelskaufleute am Ende ______________________ *(die Ausbildung)*. Man kann also auch mit Hauptschulabschluss eine Chefkarriere machen!

B 4 **Beschreiben Sie einen Beruf.**

- ● *Der Beruf der/des … ist …*
- ■ *Zu den Aufgaben der/des … gehört das … der/des …*
- ● *… wegen / trotz / während / innerhalb / außerhalb der/des …*
- ■ *Zehn Prozent / die Hälfte / zwei Drittel der/des … arbeiten …*

C Arbeiten bis zum Umfallen?

C 1 Welche Berufe haben diese Menschen? Ordnen Sie zu.

Bauzeichnerin ◆ Bürokauffrau ◆ Gärtner ◆ Lehrer ◆ Metzger ◆ Sicherheitskraft ◆ Tankwart ◆ Verkäuferin

1 ______________

3 ______________

5 ______________

7 ______________

2 ______________

4 ______________

6 ______________

8 ______________

C 2 Lesen Sie den Text und gliedern Sie ihn. Wo beginnt ein neuer Abschnitt?

Der Trend zum Nebenjob

■ Endlich 16.30 Uhr. Feierabend. Wenn sich die Kollegen auf Familie, Hobbys oder aufs Faulenzen freuen, geht für Bauzeichnerin Stefanie Richter (27) der Stress erst richtig los: rein ins Auto, Tochter Marlies (5) vom Ganztagskindergarten abholen und zur Oma bringen. Sie braucht genau 90 Minuten, jeder Schritt ist bis auf die Sekunde durchgeplant. Um Punkt 18 Uhr beginnt die zweite Hälfte ihres Arbeitstages: In einer Konditorei verkauft sie an vier Abenden bis 20 Uhr Torten. Stefanie Richter ist eine von 3,2 Millionen, die laut Studie des deutschen Instituts für Wirtschaftsforschung einen Zweitjob haben. Jeder zehnte Erwerbstätige in Deutschland arbeitet nebenbei, offiziell angemeldet oder schwarz. „Es gibt drei Gruppen Doppeljobber", sagt Professor Johannes Schwarze von der Uni Bayreuth. „Die meisten brauchen den Zusatzverdienst zum Lebensunterhalt. Andere wollen sich Extra-Wünsche erfüllen, zum Beispiel ein Traumauto. Und dann gibt es die Menschen, die einen Ausgleich zum Hauptberuf suchen." Sie alle brauchen nicht lange nach einem Zweitjob zu suchen: Immer mehr Arbeitgeber versuchen, durch Aushilfen feste Stellen einzusparen. Die Nettolöhne in Deutschland sind im vergangenen Jahr um 1,7 % gesunken. Urlaubs- und Weihnachtsgeld werden in vielen Betrieben gekürzt, Lohnerhöhungen gibt es nicht. Es ist für viele schwierig, den Lebensstandard zu halten. Doch die „Doppeljobber" müssen aufpassen, dass ihr Hauptberuf nicht leidet. Wer in seinem eigentlichen Beruf nicht mehr genug Leistung bringt, bekommt natürlich Ärger. Dann können aus „Doppeljobbern" schnell wieder ganz normale Arbeitnehmer werden, die mit einem Einkommen auskommen müssen.

Immer mehr Menschen sind „Doppeljobber". Welche Gründe werden im Text genannt?

1 ______________

2 ______________

3 ______________

C 3 **Sie hören nun die vier „Doppeljobber". Was arbeiten sie? Zu welcher Gruppe gehören sie?**

26–29

	Hauptberuf	Nebenberuf	Gruppe
1 Jürgen Kocher			
2 Stefanie Richter			
3 Silke Behrens			
4 Jochen Freund			

C 4 **Welche Bedeutung hat „brauchen" in diesen Sätzen? Markieren Sie Typ A oder B.**

! **„brauchen" als Verb und Modalverb**

A *Die meisten „Doppeljobber"* ***brauchen*** *den Zusatzverdienst zum Lebensunterhalt.*
→ Verb „brauchen" ≈ *haben müssen, haben wollen*

B *Sie* ***brauchen nicht*** *lange nach einem Zweitjob* ***zu*** *suchen.*
→ Modalverb „brauchen" + *nicht/nur/kein-* + „Infinitiv mit zu"* ≈ *nicht müssen*

* In der Umgangssprache wird das Modalverb „brauchen" oft nur mit dem Infinitiv verwendet – ohne „zu": *Du brauchst dir keine Sorgen machen.*

1 Jürgen Kocher hat einfach bei seiner Tankstelle gefragt, ob sie nicht eine Aushilfe brauchen. A
Jetzt braucht er sich um die Finanzierung seiner Weltreise keine Sorgen mehr zu machen. ☐

2 Stefanie Richter braucht gar nicht erst zu versuchen, mit ihrem Gehalt über die Runden zu kommen. ☐
Als Alleinerziehende braucht sie das zusätzliche Geld zum Leben. ☐

3 Silke Behrens fehlte einfach was, sie brauchte einen Ausgleich. ☐
Als Sicherheitskraft kann sie jetzt in jedes Konzert gehen: Sie braucht nur ihren Ausweis vorzuzeigen. ☐

4 Jochen Freund braucht keine lange Vorbereitung für seine Volkshochschulkurse. ☐
Das Unterrichten macht ihm Spaß, und das Extra-Geld kann er auch gut brauchen. ☐

ARBEITSBUCH 13–14

C 5 **Machen Sie ein Interview.**

Was brauchen Sie in Ihrem Job, was brauchen Sie nicht?

ein Handy ◆ einen Führerschein ◆ einen eigenen Schreibtisch ◆ Computerkenntnisse ◆ Menschenkenntnis ◆ Sprachkenntnisse ◆ gute Nerven ◆ Organisationstalent ◆ gute Kontakte mit ◆ …

Wie müssen Sie sein und wie brauchen Sie nicht zu sein?

energisch ◆ flexibel ◆ fleißig ◆ freundlich ◆ geduldig ◆ kontaktfreudig ◆ kreativ ◆ ordentlich ◆ pünktlich ◆ sorgfältig ◆ zuverlässig ◆ …

Was müssen Sie tun und was brauchen Sie nicht zu tun?

früh aufstehen ◆ eine Uniform tragen ◆ den Chef um Erlaubnis fragen ◆ Berichte schreiben ◆ telefonieren ◆ Kunden betreuen ◆ selbst Entscheidungen treffen ◆ reisen ◆ …

D Der Ton macht die Musik

30

thomas d. „frisör"

Freunde
Nun, da wir den Weg ein Stück
zusammen gegangen,
erinner* ich mich daran zurück,
wie alles angefangen hat.
Doch anstatt zu bereuen
oder mich darüber zu freu´n was war,
Seh ich mich als Star von beiden Seiten.

Während sich die Experten streiten, ist mir klar:
Alle seh´n die Person im Rampenlicht*,
doch meine Schattenseiten* seht ihr nicht.

Dann wünsche ich mir, kein Künstler zu sein,
der auf der Bühne leidet,
sondern ein ganz normaler Mensch,
der Haare schneidet.

Ich schwöre, ich wär so gerne wieder Frisör ...

Und früher, als ich noch
in meinem Frisörsalon saß,
hab ich mir oft erhofft, ein Star zu sein,
denn ich vergaß:
Um wahr zu sein, bedarf es keiner wilden Menge
und keiner Groupies* im Gedränge.
Damals floh* ich aus der Enge
meines Salons und meines Lebens.

Doch weit und breit
sucht man das Glück vergebens,
rennt man ihm hinterher.
Waschen, legen*, Haare fegen
gibt es jetzt nicht mehr.

Ich bin weit nach vorn gegangen,
mein Salon war mir zu klein.
Jetzt steh ich auf der Bühne,
sing davon, Frisör zu sein.
Ihr seht nicht in mich hinein.
Und auch ich
seh den Damen nur
auf die Frisur.

Ich schwöre, ich wär so gerne wieder Frisör ...

Millionen mögen mich beneiden,
doch ich will Haare schneiden.
Millionen hab ich zum Lachen gebracht,
doch ich hab viel zu wenig Dauerwellen* gemacht.
Millionen mögen meine Kinder erben,
doch ich würde lieber wieder Haare färben.

Doch so oft ich auch am Feiern war,
und gingen auch alle ab*,
so ist und war mir immer klar,
dass ich keinen Feierabend hab.
Denn ich schließ mein' Popstarladen nicht ab
und geh heim,
um dann wieder Thomas Dürr zu sein.

Ich schwöre, ich wär so gerne wieder Frisör ...

* *in der Umgangssprache fällt oft das „e" in der Endung des Verbs weg: erinner(e), freu(e)n, seh(e), seh(e)n, usw.*
* *Rampenlicht = Licht auf einer Bühne*
* *Schattenseiten = schlechte Eigenschaften*
* *Groupies = Fans, die ihren Star persönlich kennen und mit ihm reisen wollen*
* *floh = weglaufen: fliehen, floh, geflohen*
* *(Haare) legen = frisieren*
* *Dauerwellen = künstliche Locken*
* *abgehen = viel Spaß haben*

Ist Thomas Dürr ein „Doppeljobber"? Was sind seine Berufe? Was ist er heute? Was möchte er sein?

E Bewerbungen

E 1 Was gehört in jede Bewerbungsmappe? Markieren Sie.

- Individuelles Anschreiben
- Geburtsurkunde
- Tabellarischer Lebenslauf mit Lichtbild und Unterlagen zu sonstigen Qualifikationen
- Vollständige Zeugniskopien (Abschluss- und Arbeitszeugnisse)
- Kopie des Führerscheins
- Ärztliche Bescheinigung über den Gesundheitszustand
- Eventuell zusätzlich angeforderte Unterlagen wie Referenzen
- Foto der Familie mit Haustieren

E 2 **Diese Personen suchen eine Stelle. Welche Anzeige passt?**

1 Michaela Müller ist 20 Jahre alt. Sie hat ihre Ausbildung zur Verkäuferin in einem Textilgeschäft hinter sich. Jetzt sucht sie eine Stelle. ▢

2 Andreas Eckert ist als Jurist in einer großen Kanzlei angestellt. Er arbeitet mehr als zehn Stunden pro Tag und hat keine Zeit für die Stellensuche. Trotzdem möchte er über Stellenanzeigen informiert werden, die für ihn interessant sind. ▢

3 Anke Martin ist Krankenschwester. Sie hat vor sechs Jahren geheiratet und zwei Kinder bekommen. Jetzt möchte sie gern wieder ein paar Stunden arbeiten, am liebsten am Wochenende. Dann kann ihr Mann auf die Kinder aufpassen. ▢

4 Heiko Mons hat sein Studium der Informatik gerade abgeschlossen. Er hat noch keine Arbeitserfahrung, sucht jetzt aber eine interessante Stelle. ▢

5 Sabine Hille ist ausgebildete Sekretärin mit Berufserfahrung. Sie kann mit dem PC-Programm MS-Office umgehen. Leider ist sie seit einem halben Jahr arbeitslos und sucht jetzt eine Stelle. ▢

6 Thomas Dürr ist Frisör. Er hat früher in diesem Beruf gearbeitet, dann hat er mit einer Band Musik gemacht. Jetzt möchte er wieder als Frisör arbeiten. ▢

Vollzeit = 39 Stunden pro Woche
Teilzeit = nur einen Teil der vollen Arbeitszeit
halbtags = die Hälfte der vollen Arbeitszeit

Stellenangebote

a)
Wir suchen Kopfarbeiter für modisch starke Köpfe.

2x in Fulda

HAAR GALERIE

Rabanusstr. 33, Fulda
Tel. (0661) 76091, Fax 9709909
Peterstor 14, Fulda
Tel. (0661) 10001

b)
Wir suchen für Fulda

VERKÄUFER/IN
TEILZEIT-VERKÄUFER/IN

Sie haben eine abgeschlossene Berufsausbildung, verbunden mit Erfahrung im Verkauf! Sicheres Auftreten und Umgang mit Kunden in der Herren-Modewelt sind Ihre Stärke!

INTERESSIERT?

Bewerbungen mit den üblichen Unterlagen senden Sie an den Verlag unter Chiffre-Nr. Z 109698.

d)
Junger Mann oder Schüler für Grundstückspflege in Alsfeld gesucht, bei guter Bezahlung. ☎ **069/638088**

c)
Wir stellen ein ab sofort oder später

Sekretärin/Bürogehilfin

mit PC-Kenntnissen. Bei Interesse richten Sie Ihre aussagefähigen Bewerbungsunterlagen an ARCHITEKTUR- & BAUATELIER 24,
Architekt Dipl.-Ing. (TH) Jochen Hohmann, Forststr. 24, 36093 Künzell, Telefon (0661) 9395-0

e)
Job gefunden!

Durch eine Kleinanzeige in Ihrer Tageszeitung.

f)
innovative software technologie GmbH — ist

Wir sind ein sehr erfolgreiches expandierendes Software-Dienstleistungsunternehmen und suchen für interessante Entwicklungsaufgaben im süddeutschen Raum

Ingenieure/Informatiker

mit Erfahrung in einem der folgenden Themenbereiche:

- Entwicklung von **Mikrocontroller-Software** in C und **Assembler (80C16x, 68HCxx, 68xxx** oder auch **Power PC)** für elektronische Steuergeräte im Kraftfahrzeug
- Anwendungsentwicklung in **C** sowie **C++** unter **Windows 95/NT** oder **UNIX**

Bewerbungen von Absolventen sind willkommen.

ist GmbH, Eschenstraße 22, 82024 Taufkirchen bei München
e-mail: ist-tkn@-t-online.de http://www.ist-tkn.de

g)
Suche Krankenschwester oder Altenpflegerin
im ambulanten Bereich, vorwiegend zum Wochenende, als Aushilfe oder Teilzeit.
Telefon (06648) 61310

h)
Job gefunden!

Durch eine Kleinanzeige in Ihrer Tageszeitung.

i)
SUCHE
erfahrene Bedienung zur Erweiterung unseres Teams.

Schloss-Restaurant Sickendorf
Telefon (06641) 917822

j)
Stellensuche
Wir werten die Stellenangebote in über 160 Tages- und Wochenzeitungen sowie Fachpublikationen, Amts- und Ministerialblättern systematisch aus. Gründlich und nach Ihren genauen Angaben. Die für Sie gefundenen Stellenanzeigen senden wir Ihnen jede Woche zu.
Die Schere – Presseausschnittdienst
Groner Straße 37, 37073 Göttingen
Tel. 0551/4 55 53, Fax 0551/46 42 02

Stellengesuche

k)
Sekretärin/Sachbearbeiterin

18 Jahre Berufserfahrung, in ungekündigter Stellung, MS-Office, möchte **Sie** unterstützen. Flexibilität und Belastbarkeit besonders in „heißen Zeiten" sind ebenso selbstverständlich wie absolute Loyalität. Haben Sie eine neue Herausforderung (gerne 25 Stunden/Woche) für mich (37 Jahre), dann melden Sie sich bitte unter Chiffre A 109750 bei dem Verlag.

E 3 **Lesen Sie den Lebenslauf. Setzen Sie die Überschriften ein.**

Referenzen ◆ Berufserfahrung ◆ ~~Persönliche Daten~~ ◆ Studienvorbereitung ◆ Weitere Qualifikationen ◆ Studium ◆ Schulbildung ◆ Hobbys

Mohammed Laaguidi
Hadubrandstr. 8
44339 Dortmund
Tel.: 0173/2 10 05 24

Lebenslauf

Persönliche Daten

Mohammed Laaguidi
geboren am 7. 1. 1965 in Rabat, Marokko
verheiratet, zwei Kinder, nicht ortsgebunden

____

9/1971 – 7/1976	Grundschule Fes
9/1976 – 6/1984	Gymnasium Kenitra; Abschluss: Allgemeine Hochschulreife

____

9/1984 – 7/1988	Grundstudium Chemie und Physik, Universität Mohammed V, Rabat
9/1988 – 4/1989	Lehrgang technisches Französisch, private Sprachschule, Straßburg
4/1989 – 10/1989	Deutschkurs, Privatschule, Kenitra
11/1989 – 8/1990	Deutschkurs an der Fachhochschule Dortmund
3/1991 – 2/1992	Studienkolleg Fachhochschule Dortmund, Gesamtnote 2,9

____

9/1992 – 10/1997	Studium der Nachrichtentechnik FH Dortmund, Abschlussnote 2,7

____

5/1991 – 10/1997	Technischer Mitarbeiter der Fa. Kaerger & Partner, Dortmund
10/1997 – 2/1998	Honorartätigkeit bei Quest Techno-Marketing, Bochum
seit 5/1998	Wissenschaftlicher Mitarbeiter und Gastdozent Private Universität Witten/Herdecke, Projekt ELEKTRA

____

Sprachen	Muttersprache: Arabisch sehr gute Französisch- und Deutschkenntnisse gute Englischkenntnisse in Wort und Schrift
EDV	Win 95, MS-Office (Word, Excel, Access, Powerpoint, Works), Windows NT, C++, P-Spice, CAD-Programme: Eagle, AutoCAD

____

Sport	Taekwondo, Radsport, Basketball
Musik	langjährige Leitung von Musik-Bands umfangreiche Erfahrungen in der Tontechnik

Dortmund, 3. 6. 20. .

31 **Hören Sie den Dialog und vergleichen Sie.**
Schreiben Sie Ihren eigenen Lebenslauf.

F Zwischen den Zeilen

F 1 **Hören Sie den Dialog und ergänzen Sie „also" oder „nämlich".**

32

- ● Die Schere – Presseausschnittdienst, Hoffmann, Guten Tag.
- ■ Guten Tag, mein Name ist Eckert. ... Ja, ___________ (1), ich habe Ihre Anzeige in der Frankfurter Rundschau gelesen ... Wie funktioniert das denn genau?
- ● Ja, Herr Eckert, wie Sie der Anzeige entnehmen konnten, werten wir für Sie fast 200 verschiedene Tageszeitungen, Wochenzeitungen, Fachzeitschriften usw. aus. Wir brauchen ___________ (2) möglichst genaue Angaben zu Ihrer Person ...
- ■ Da schicke ich Ihnen am besten meine Bewerbungsmappe. Da ist ja alles drin, ___________ (3) Lebenslauf, Zeugnisse usw.
- ● Ja, das wäre sinnvoll. Und formulieren Sie in einem Anschreiben noch mal genau Ihre Vorstellungen, dann können wir ___________ (4) gezielter für Sie suchen.
- ■ Und was kostet das? ... ___________ (5) ... Ich hoffe, das ist bezahlbar – ich bin ___________ (6) zurzeit arbeitslos.
- ● Da machen Sie sich mal keine Sorgen, Herr Eckert. Wir bieten diesen Service ja vielen Stellensuchenden an, für den Einzelnen ist das ___________ (7) günstig. Ich schicke Ihnen mal unser Angebot zu, mit Preisliste und Vertrag, ___________ (8) das komplette Infopaket ...

Hören und vergleichen Sie.

F 2 **Lesen Sie die Erklärungen. Welche Bedeutung passt wo? Ordnen Sie zu.**

A	„**also**" signalisiert Beginn oder Ende eines Gesprächs, füllt Pausen aus.	1, ___________
B	„**also**" betont die Folge (≈ *deshalb, folglich*).	2, ___________
C	„**also**" wiederholt mit anderen Worten, macht genauere Angaben (≈ *d. h. = das heißt*).	___________
D	„**nämlich**" betont den Grund (≈ *weil ...*).	___________

F 3 **Denken Sie sich eine Stelle aus, auf die Ihr Partner sich bewirbt. Spielen Sie ein Bewerbungsgespräch. Benutzen Sie dabei „also" und „nämlich".**

Warum sind Sie die/der Richtige für den Job? ◆ Haben Sie Erfahrungen im Bereich X? ◆ Passt Ihre Ausbildung zur Stelle?

G Kurz & bündig

„sodass"- und „so ..., dass"-Sätze § 49

Alle Ketchum-Mitarbeiter haben Zugriff auf diese Daten, **sodass** Miyuki sich die Informationen besorgen kann.
Jedes Mitglied der Ketchum-Familie spricht fließend Englisch, **sodass** sich alle miteinander verständigen können.
Manchmal ist der Job **so** *anstrengend,* **dass** meine Gesundheit leidet.
Mit einigen Kollegen verstehe ich mich **so** *gut,* **dass** wir uns auch privat treffen.

Die Genitiv-Ergänzung § 22 + § 33

Genitiv nach Nomen

Ein Reiseleiter braucht solide Kenntnisse **der** Sprache **des** Reiselandes. Immer trifft der Ärger **der** Gäste den Reiseleiter. Der Beruf **des** Reiseleiter**s** ist kein anerkannter Ausbildungsberuf.

Genitiv nach Präpositionen

Das Privatleben des Reiseleiters mit Partner und Freunden kommt **wegen der** vielen Reisen oft zu kurz. Polizisten haben einen abwechslungsreichen Beruf und als Beamte **innerhalb des** Staatsdienst**es** einen sicheren Arbeitsplatz. **Außerhalb des** Staatsdienst**es** können Polizisten als Detektive oder für private Sicherheitsdienste arbeiten.
Unterhalb des Blech**s**, bei Motor, Vergaser und Auspuff beginnt die Welt des Kfz-Mechanikers. Schon **während der** Lehrzeit sind seine Fähigkeiten und Kenntnisse im Freundeskreis oft sehr gefragt.

Genitiv-Ersatzform mit „von"

Viel Arbeit ist es sowieso: der Umtausch **von** Geld, das Organisieren **von** Ausflügen oder Eintrittskarten – und das alles rund um die Uhr.

Kraftfahrzeuge aller Art müssen instand gehalten und repariert werden: die Suche nach Fehlern, die Reparatur **von** Schäden und der Austausch **von** Teilen – das sind die Aufgaben des Kfz-Mechanikers.

brauchen § 11

als Verb

Die meisten „Doppeljobber" **brauchen** den Zusatzverdienst.
Als Alleinerziehende **braucht** Stefanie Richter das zusätzliche Geld einfach zum Leben.
Jürgen Kocher hat bei seiner Tankstelle gefragt, ob die nicht eine Aushilfe **brauchen**.
Silke Behrens fehlte einfach was, sie **brauchte** einen Ausgleich.

als Modalverb + *nicht/nur/kein* + „Infinitiv mit zu"

„Doppeljobber" **brauchen *nicht*** lange nach einem Zweitjob **zu** suchen.
Als Sicherheitskraft kann sie jetzt in jedes Konzert gehen: Sie **braucht *nur*** ihren Ausweis vor**zu**zeigen.
Jetzt **braucht** Jürgen sich um die Finanzierung seiner Weltreise ***keine*** Sorgen mehr **zu** machen.

Nützliche Ausdrücke

Mittags fahre ich gern in ein Restaurant, aber oft **reicht die Zeit** nur **für** ein Sandwich.
Es ist immer so **viel zu tun**, dass ich selten vor 19 Uhr hier rauskomme.
Viel ist es sowieso – und das **rund um die Uhr**.
Sein Privatleben **kommt** wegen der vielen Reisen häufig **zu kurz**.
Die Arbeit am Computer und der Umgang mit Kunden und Lieferanten **gehören** auch **dazu**.
Wenn sich die Kollegen aufs Faulenzen freuen, **geht** für Stefanie Richter der Stress **erst richtig los**.
Stefanie Richter braucht gar nicht erst zu versuchen, mit ihrem Gehalt **über die Runden** zu **kommen**.
Jeder zehnte Erwerbstätige in Deutschland **arbeitet nebenbei**, **offiziell angemeldet** oder **schwarz**.

RAUF + RUNTER

Sie brauchen vier Spielfiguren und einen Würfel.

A Leiterspiel

Spielregeln:

Aufgabenfelder

Lesen Sie die Aufgaben A und B laut.

Welche Aufgabe möchten Sie lösen? A oder B?

<u>Richtige Lösung für A:</u>
Gehen Sie ein Feld vor.

<u>Richtige Lösung für B:</u>
Gehen Sie zwei Felder vor.

<u>Keine oder falsche Lösung:</u>
Bleiben Sie auf dem Feld stehen.

Pechleitern

Steigen Sie die Leiter nach unten.
Sie müssen keine Aufgabe lösen.

Glücksleitern

Steigen Sie die Leiter nach oben.
Sie müssen keine Aufgabe lösen.

ZIEL

46

45
A Nennen Sie zwei alternative Heilmethoden.

B Beschreiben Sie eine alternative Heilmethode.

44
A Nennen Sie drei weitere Verben mit der Präposition „mit“? reden + mit DAT ...

B Ergänzen Sie die Sätze.
Mein Chef leidet ...
Er achtet nie ...
Er verlässt sich ...
Im Büro riecht es oft ...

32
A  Schreiben Sie eine Kontaktanzeige für diese Frau.

B Welcher Mann passt (besser) zu der Frau. Warum?

33
A Ergänzen Sie die Sätze.
Ich freue mich auf ...
Ich freue mich über ...

B Welche deutschen Feste kennen Sie? Nennen Sie fünf.

34

35
Was ist das?

A

B

31
Erklären Sie folgende Wörter.

A Hochzeit, Ehe, heiraten, verheiratet sein

B Wie heißen die Wörter richtig?
HochzeitsRETTO –
SilvesterRYPTA –
GeburtstagsKECHNESG

30
Definieren Sie mit Relativsätzen.

A Freunde sind Menschen, ...
Ein Kollege ist jemand, ...
Eine Nachbarin ist eine Frau, ...

B Ein Regisseur ist jemand, ...
Eine Hotelmanagerin ist eine Frau, ...
Gäste sind Menschen, ...

29
A Welches Sternzeichen haben Sie?

B Wie finden Sie Horoskope?

28
A Ergänzen Sie:
Interessieren Sie ... ?
Nein, ich interessiere ... für ...
Was wünschst du ... zum Gebur
– Ich wünsche ...

B Wie heißen die passenden Präpositionen?
denken ... / wütend sein ... / trä
... / sich ärgern ... / helfen ...

16

17
A Beschreiben Sie das Aussehen eines bekannten Schauspielers oder Politikers ganz genau.

B Wie heißen die Nomen von „ehrlich“, „aktiv“, „schön“?

18
A Nennen Sie drei reflexive Verben und erklären Sie ihre Bedeutung.

B Wie heißen diese Krankheiten richtig?
HUSSXENCHES
RIMÄNGE
HUPFENSCHEUN

19

15
A Ergänzen Sie:
im Laufe _________ Zeit
am Ende _______ Jahr___

B Nennen Sie drei Präpositionen mit Genitiv und erklären Sie ihre Bedeutung.

14
A Nennen Sie zu jedem Buchstaben einen Beruf: A R B E I T

B Welche Eigenschaften braucht man für diese Berufe? Nennen Sie jeweils mindestens zwei.
Friseur
Kfz-Mechanikerin

13

12
A Woran denken Sie beim Thema „Freundschaft“?

B Ergänzen Sie:
Freundschaft ist wie ...
Freundschaft ist kein ...

START

1

2
A Eine Fee kommt zu Ihnen und sagt: *„Sie haben drei Wünsche frei.“* Was wünschen Sie sich?

B Ergänzen Sie:
Hätte ich doch nie ...!
Wäre ich doch ...!
Könnte ich doch ...!

3
A Wovor haben Sie Angst

B Ergänzen Sie die Sätze:
Es ist unmöglich, ...
Ich finde es nicht leicht

43
A Was machen Sie, wenn Sie sich in den Finger geschnitten haben?
B Beschreiben Sie, wie Wadenwickel gemacht werden.

42
A Antworten Sie.
Sind die Kisten schon ausgepackt?
Nein, die müssen noch …
B Was ist unheimlich?
Ergänzen Sie.

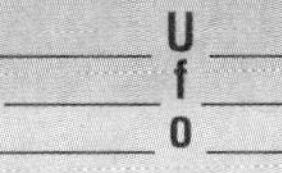

_____ U _____
_____ f _____
_____ o _____

41

40
A Sie sind Wahrsagerin: Sagen Sie die Zukunft voraus.
B Wie wird das Leben in 100 Jahren aussehen?

36

37
A Nennen Sie drei Wörter, die mit „Qu“ beginnen.
B Was bedeuten diese „internationalen“ Wörter?
E-Mail
PC
relaxen
online

38
Ergänzen Sie:
A Ich bedanke mich für …
Ich bedanke mich bei …
B Was ist ein Heiratsinstitut?

39
A Ergänzen Sie:
Ich muss jeden Tag früh aufstehen. – Bei mir ist das anders. Ich brauche nicht …
B Machen Sie zwei ähnliche Kurz-Dialoge wie in Aufgabe 39 A.

27
A Nennen Sie drei Zeitangaben, die auf die Zukunft verweisen.
B Wann benutzt man das Futur I im Deutschen?

26

25
A Welche Erfindung finden Sie am wichtigsten? Warum?
B Wie wird das Reisen in 100 Jahren aussehen? Was meinen Sie?

24
A Was ist ein Ufo?
B Was macht eine Wahrsagerin?

20
A Finden Sie das passende Verb:
eine Einladung …
zum Geburtstag …
ein Geschenk …

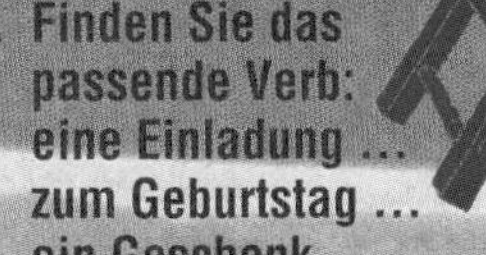

B Beschreiben Sie ein Fest in Ihrem Heimatland ganz genau.

21
Antworten Sie (…)
A Wozu machen Sie diesen Kurs? …
B Wozu brauchst du denn morgen früh das Auto? …

22
A Ergänzen Sie:
Ich lese jeden Tag die Zeitung, …
Ich rufe meine Mutter an, …
B Ergänzen Sie:
Ich würde gern in einem anderen Land leben, damit …
Viele bleiben lieber zu Hause, weil …
Meine Schwester studiert im Ausland, obwohl …

23

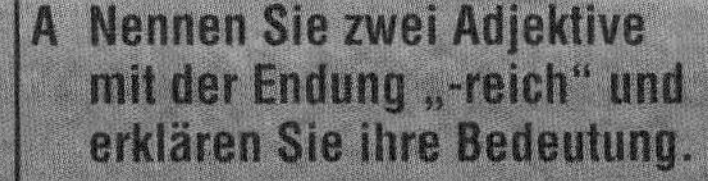

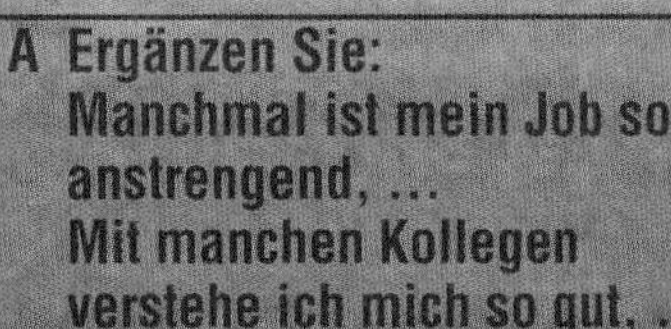

11
A Wie würden Sie gern arbeiten? Berichten Sie.
B Was ist ein „Doppeljobber“?

10
A Nennen Sie zwei Adjektive mit der Endung „-reich“ und erklären Sie ihre Bedeutung.
B Nennen Sie jeweils ein Adjektiv mit der Endung „-reich“, „-arm“ und „-frei“ und erklären Sie ihre Bedeutung.

9
A Ergänzen Sie:
Manchmal ist mein Job so anstrengend, …
Mit manchen Kollegen verstehe ich mich so gut, …
B Nennen Sie fünf Wörter, die zum Thema „Stellensuche“ passen.

8
A Ergänzen Sie die Sätze:
Ich fände es toll, wenn …
Ich hätte gern …
B Wovon träumen Sie? Finden Sie ein Wort zu jedem Buchstaben:
T R A U M

4
A Was verbinden Sie mit Heimat?
B Erklären Sie die Begriffe
– Heimat
– Muttersprache
– Heimweh

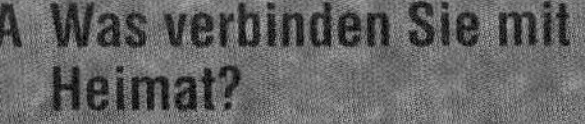

5
A Ihre Tochter möchte im Ausland studieren. Sprechen Sie mit ihr über die Vor- und Nachteile.
B Kennen Sie ein deutsches Sprichwort? Nennen und erklären Sie es.

6

7
A Beschreiben Sie einen Beruf. Was braucht man dazu? Was braucht man nicht? Was müssen Sie tun? Was brauchen Sie nicht zu tun?
B Was gehört zu einer schriftlichen Bewerbung?

Arbeitsbuch

Lektionen 1–4

Beziehungen

LEKTION **1**

A Auf Partnersuche ...

1 Was passt wo? Sortieren Sie die Adjektive und machen Sie eine Liste.

anspruchsvoll ◆ blond ◆ charmant ◆ dunkelhaarig ◆ ~~ehrlich~~ ◆ energisch ◆ erfolgreich ◆ fantasievoll ◆ gefühlvoll ◆ gut aussehend ◆ hübsch ◆ humorvoll ◆ intelligent ◆ langweilig ◆ lebenslustig ◆ lieb ◆ niveauvoll ◆ optimistisch ◆ romantisch ◆ schlank ◆ selbstbewusst ◆ tolerant ◆ treu

persönliche Eigenschaften		beides	Aussehen
ehrlich (+)			

Was ist positiv (+)? Was ist negativ (–)? Was ist neutral (o)? Markieren Sie.

2 Welche Adjektive verstecken sich in diesen Nomen? Ergänzen Sie die Listen von 1.

Aktivität ◆ Attraktivität ◆ Ehrlichkeit ◆ Häuslichkeit ◆ Leidenschaftlichkeit ◆ Naturverbundenheit ◆ Natürlichkeit ◆ Offenheit ◆ Schönheit ◆ Sensibilität ◆ Seriosität ◆ Sportlichkeit ◆ Unkompliziertheit ◆ Zärtlichkeit ◆ Zuverlässigkeit

3 Was passt? Ergänzen Sie das Gegenteil.

pessimistisch ◆ unsicher ◆ ~~langweilig~~ ◆ faul ◆ dick ◆ verschlossen ◆ böse ◆ hässlich ◆ dunkelhaarig ◆ dumm

1 interessant – *langweilig*
2 offen – ____________
3 schön – ____________
4 intelligent – ____________
5 aktiv – ____________
6 dünn – ____________
7 lieb – ____________
8 selbstbewusst – ____________
9 optimistisch – ____________
10 blond – ____________

KURSBUCH A 1–A 5

4 Ergänzen Sie die Reflexivpronomen.

Netsite:

Liebe Sabrina,

wie geht es Dir? Wie fühlst Du _Dich_ (1) so als Single-Frau in Berlin? Hast Du _______ (2) schon an Deine neue Umgebung gewöhnt? Und hast Du _______ (3) jetzt entschieden, mit wem Du in Urlaub fährst?

Ich weiß, sonst beklage ich _______ (4) oft über mein stressiges Leben als Hausfrau und Mutter, aber seit etwa einer Woche ist alles anders. Ich habe _______ (5) schon lange nicht mehr so wohlgefühlt. Weißt Du, plötzlich interessieren _______ (6) mein Mann und meine Kinder für mich und meine Arbeit. Sie fragen ständig, wie es mir geht! Es geht sogar so weit, dass mein Sohn _______ (7) jedenTag für das leckere Essen bedankt! Und meine Tochter verabschiedet _______ (8) mit einem Küsschen, bevor sie in die Schule geht. Kannst Du Dir das vorstellen?! Die beiden entschuldigen _______ (9) sogar, wenn sie mal fünf Minuten zu spät nach Hause kommen. Kannst Du _______ (10) erinnern, so etwas schon mal erlebt zu haben? Sogar meine Mutter kümmert _______ (11) plötzlich liebevoll um die Kinder. Na ja, irgendwas stimmt da nicht, und ich denke, spätestens an Weihnachten streiten wir _______ (12) auch wieder ...

So, meine Liebe, ich muss jetzt das Mittagessen machen.

Ganz liebe Grüße und bis bald!

Sylvia

5 Bringen Sie die Wörter in die richtige Reihenfolge.

1 Sie beklagt sich, _dass er sich nie um sie kümmert._
dass – kümmert – er – sich – nie – um sie

2 _______________, dass er so viel jammert.
sie – sich – immer – ärgert

3 Sie sagt oft, dass es doch schön wäre, _______________.
verlieben – sich – wieder – zu

4 Doch sie _______________.
einfach nicht – kann – von ihm – sich – trennen

5 Sie ist sich auch sicher, _______________.
sich – er – nicht mehr – dass – verändert

6 Er _______________.
sich – jedes Mal – entschuldigt – für sein Verhalten

7 Sie findet es toll, _______________.
er – perfekt – kümmert – dass – um den Haushalt – sich

8 Und schließlich _______________.
sich – schon – hat – an ihn – gewöhnt – sie

KURS A

6 **Ergänzen Sie.**

sich amüsieren ◆ sich ärgern ◆ sich beklagen ◆ sich entscheiden ◆ sich entschuldigen (bei) ◆ sich erholen ◆ sich erinnern (an) ◆ sich freuen (auf) ◆ sich wohlfühlen ◆ sich interessieren (für) ◆ sich kümmern (um) ◆ sich setzen ◆ ~~sich verabschieden (von)~~ ◆ sich verändern

Zum Abschied

Lieber Martin,

ich möchte _mich_ von Dir _verabschieden_.
Du hast _______ in den letzten Jahren sehr _______.
Früher hast Du _______ immer gleich _______, wenn
mich ein anderer Mann nur angeguckt hat. Heute
_______ Du _______ selbst oft mit anderen Frauen
und _______ _______ kaum noch um mich. Ich weiß nicht
warum, aber ich habe _______ nie _______.
_______ Du _______ noch an unseren letzten Urlaub?
Wir hatten _______ so auf Griechenland _______. Aber
leider habe ich _______ nicht besonders gut _______.
Am schlimmsten war der Abend in der Disco. Da war diese
dunkelhaarige Frau. Sie hat _______ neben Dich _______ und
stundenlang mit Dir geredet. Und Du hast _______ den ganzen
Abend nur noch für sie _______. Ich weiß nicht, ob
ihr _______ _______ _______ habt in dieser Situation. Für mich
war es schrecklich! Später hast Du _______ nicht einmal bei mir
_______.
Es reicht. Ich habe _______ _______: Ich gehe!

Irene

1 **Hören und vergleichen Sie.**

7 **Ergänzen Sie.**

Mensch Tom,

1. Beklag dich doch nicht dauernd _über_ deine Arbeit!
2. Und ärgere dich nicht ständig _______ deinen Chef!
3. Kümmere dich lieber mal mehr _______ deine Kinder!
4. Warum fällt es dir so schwer, dich _______ deine Fehler zu entschuldigen?
5. Du könntest dich auch mal etwas netter _______ mir verabschieden.
6. Du könntest dich doch auch mal _______ mir melden, wenn du auf Geschäftsreise bist.
7. Du könntest dich z. B. auch mal mehr _______ meine Hobbys interessieren.
8. Und zum Schluss noch ein guter Rat: Gewöhn dich endlich _______ meine Launen.

KURSBUCH A 7

8 **Suchen Sie im Kursbuch eine Kontaktanzeige, die Ihnen gefällt, und schreiben Sie einen Antwortbrief.**

9 Lesen Sie den Artikel und ergänzen Sie die passenden Überschriften.

Liebe – nicht mehr als ein Geschäft? ◆ Familienfeste – kein Grund zur Freude ◆ Aus Spaß wird Ernst ◆ Ehrlichkeit ist wichtig

Suche Gebraucht-Ehemann

Baujahr ca. 45–55 in gutem Zustand

1 ______________________

Am Anfang ist das Wort. Deshalb lesen wir so gern Heiratsanzeigen – lauter erste Worte, Anfänge von möglichen Geschichten. Zuerst tun wir es, weil wir uns amüsieren wollen. Dann fangen wir an, in Gedanken auf die eine oder andere Anzeige zu antworten oder selbst eine zu formulieren. Und auf einmal ist man 30 oder 35 Jahre alt und hat das Gefühl, einen Zug verpasst zu haben.

2 ______________________

Plötzlich besteht das Jahr aus einer Reihe von kritischen Tagen. Man freut sich nicht mehr auf den Geburtstag, weil es keinen Spaß macht, ihn allein zu feiern. Die ersten Frühlingstage machen melancholisch: Der Frühling ist doch die schönste Jahreszeit. Da möchte sich jeder gern verlieben! Der Urlaub wird auf einmal zum Problem, die langen, einsamen Novemberabende werden immer ungemütlicher, und schließlich die „Jahresendkatastrophe": Weihnachten und – ganz schlimm – Silvester.

3 ______________________

An irgendeinem dieser Tage entscheiden sich die „Übriggebliebenen" dann für das letzte Mittel: Sie tragen ihre Haut auf den Anzeigenmarkt. Ja, Markt. Wer auf Kontaktanzeigen antwortet oder selber welche schreibt, muss doch zugeben: Liebe ist ein Geschäft. Zumindest am Anfang. Mit seiner Anzeige in der Zeitung findet sich der einsame Mensch irgendwo zwischen Gebrauchtwagen, Immobilien und Stellenangeboten wieder. Eigentlich will er ja Liebe, Romantik, Gefühl. Aber seine Wünsche formuliert er oft so sachlich und nüchtern, als ob er eigentlich nur ein neues Auto, ein Reihenhaus oder einen Job haben möchte.

4 ______________________

Aber nicht alles, was wie ein Geschäft beginnt, muss auch wie ein Geschäft enden. Denn wenn schließlich doch noch zwei Menschen zusammenfinden, ist es völlig egal, ob die Geschichte auf diesem oder einem anderen Weg zu ihrem Happy End gekommen ist. Aber was heißt schon enden? Hier fängt die Geschichte ja eigentlich erst an. Und geht es nur eine kurze Zeit gut, dann waren die ersten Worte vielleicht schlecht gewählt, falsch formuliert oder einfach übertrieben. Wenn es ein Rezept für die ersten Worte gibt, dann dies: Sei ehrlich! Präsentiere dich so, wie du bist!

10 Lesen Sie den Artikel noch einmal. Was steht im Text? Markieren Sie.

1 Menschen lesen Heiratsanzeigen, …
- a) weil sie keine Bücher lesen wollen.
- b) weil sie schnell einen Lebenspartner finden wollen.
- c) weil sie das interessant und witzig finden.

2 Es ist schöner, …
- a) Festtage zusammen mit einem Partner oder einer Partnerin zu feiern.
- b) sich im Sommer zu verlieben, weil der Frühling melancholisch macht.
- c) Weihnachten und Silvester im Urlaub zu feiern als zu Hause.

3 Mit Kontaktanzeigen …
- a) machen Zeitungen gute Geschäfte.
- b) kann man seine wirklichen Wünsche nur schwer ausdrücken.
- c) kann man auch Autos, Häuser oder eine neue Stelle finden.

4 Liebesgeschichten, die mit einer Kontaktanzeige beginnen, …
- a) haben nie ein Happy End.
- b) haben bessere Chancen, wenn der Anzeigentext ehrlich ist.
- c) dauern meistens nicht lange.

B Allein oder zusammen?

11 Was passt zusammen? Markieren Sie.

1	der Forscher		das eigene Leben
2	der Lehrstuhl		passend
3	die Regel	1	der Wissenschaftler
4	die Ausnahme		die Stelle eines Universitätsprofessors
5	geeignet		der Ort, wo man lebt und arbeitet, wichtige Menschen (Familie, Freunde, Bekannte, Kollegen), gute und schlechte Vorbilder
6	die persönliche Biografie		das passiert selten
7	das Umfeld		das stimmt meistens oder immer

12 Lesen Sie zuerst die Aussagen, hören Sie dann das Interview mit Herrn Professor Rehberg und markieren Sie.

2

		richtig	falsch
1	Professor Rehberg ist Verhaltensforscher.	X	
2	Professor Rehberg lebt und arbeitet in Deutschland.		
3	Junge Leute sollten nicht auf die „Liebe auf den ersten Blick" warten.		
4	„Liebe auf den ersten Blick" ist die Regel.		
5	Das Phänomen „Liebe auf den ersten Blick" ist vor allem aus Romanen und Filmen bekannt, entspricht aber oft nicht der Realität.		
6	Die Realität zeigt, dass man lieber nach dem „geeigneten" als nach dem „idealen" Partner suchen sollte.		
7	Die meisten Menschen finden ihren Partner durch Zufall.		

13 Wie haben Sie Ihren Partner oder Ihre Partnerin kennengelernt? Wie haben sich Ihre Freunde, Eltern, Großeltern kennengelernt? Schreiben Sie.

14 Wie könnten die Sätze mit OHNE, WENN, UND, ABER weitergehen? Ergänzen Sie.

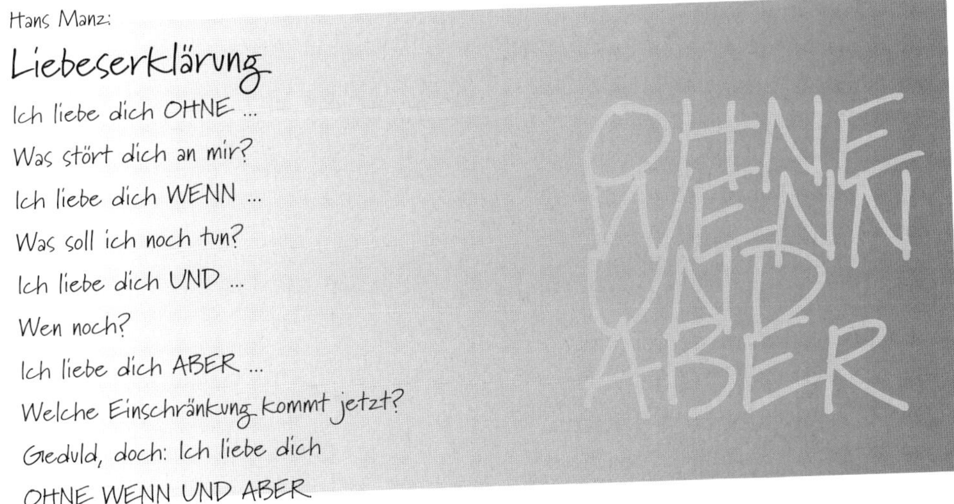
Hans Manz:

Liebeserklärung

Ich liebe dich OHNE ...
Was stört dich an mir?
Ich liebe dich WENN ...
Was soll ich noch tun?
Ich liebe dich UND ...
Wen noch?
Ich liebe dich ABER ...
Welche Einschränkung kommt jetzt?
Geduld, doch: Ich liebe dich
OHNE WENN UND ABER

KURSBUCH C 1–C 2

C Zwischen den Zeilen

15 Verben mit verschiedenen Präpositionen. Ergänzen Sie.

Melde dich doch mal! Ich freue mich **auf** deinen Anruf. Freust du dich **auf** deinen Geburtstag?	freuen + sich + auf (AKK) (etwas in der Zukunft)
Schön, dass du dich meldest. Ich freue mich **über** deinen Anruf. Hast du dich **über** deine Geburtstagsgeschenke gefreut?	____________ (etwas in der Gegenwart oder Vergangenheit)
Du musst dich unbedingt **bei** Silke entschuldigen.	____________ (= Person)
Wieso soll ich mich **für** jede Kleinigkeit entschuldigen?	____________ (= Grund, Anlass)
Hast du dich schon **bei** Tante Klara bedankt?	____________ (= Person)
Tante Klara, ich möchte mich **für** die schönen Blumen bedanken.	____________ (= Grund, Anlass)

16 Ergänzen Sie die passenden Verben und Präpositionen.

Paar-Diskussionen ...

- ● Ich habe das Gefühl, dass du dich gar nicht richtig ________ (1) meine Geschenke ________ (2). Das merke ich, wenn du dich ________ mir ________ (3). Das kommt nicht richtig „von Herzen".
- ■ Oh Schatz, das tut mir leid, das ...
- ● Und ________ (4) unseren Urlaub ________ (5) du dich auch nicht. Jedenfalls merke ich nichts davon.
- ■ Oh Schatz, das tut mir wirklich leid, aber ...
- ● Nein, nein, du brauchst dich gar nicht ________ (6) mir zu ________ (7). Wenn du dich nicht ________ (8), dann ________ (9) du dich halt nicht.
- ■ Aber das stimmt nicht. Natürlich ________ (10) ich mich ________ (11) den Urlaub mit dir, und ich ________ (12) mich auch immer ________ (13) deine Geschenke! Ich habe es nur einfach nie gelernt, meine Freude richtig zu zeigen. Du weißt doch, meine Familie war nie besonders herzlich. Wenn mein Vater sich ________ (14) jemandem ________ (15) irgendetwas ________ (16) hat, gab es immer nur ein trockenes „danke". Und er hat nie gesagt oder gezeigt, dass er sich ________ (17) irgendein Ereignis oder ________ (18) irgendein Geschenk ________ (19).
- ● Ja, ja, du und deine Familie. Ich bin mit dir zusammen, mein Lieber, nicht mit deinem Vater!
- ■ Ach, komm! Ich weiß, ich kann meine Gefühle nicht so gut zeigen – das ist ein Fehler von mir, o. k. Aber warum kannst du es eigentlich nie akzeptieren, wenn ich mich ________ (20) meine Fehler ________ (21)?

Hören und vergleichen Sie.
Wie geht der Dialog weiter? Schreiben Sie.

D Freunde fürs Leben

17 Ergänzen Sie.

sie ◆ ihr

Sarah ist eine gute Freundin, denn ich

1 kann *ihr* meine Probleme erzählen,
2 kann ________ vertrauen,
3 kann ________ die Meinung sagen,
4 kann ________ alles glauben,
5 kenne ________ so gut wie mich selbst,
6 mag ________ sehr,
7 verstehe ________ fast immer.

mich ◆ mir

Ein guter Freund

1 ruft *mich* regelmäßig an,
2 hilft ________ in schwierigen Situationen,
3 schenkt ________ Blumen,
4 verabredet sich mit ________ zum Kino,
5 spricht mit ________ über seine Probleme,
6 ist für ________ sehr wichtig,
7 ist immer für ________ da.

KURSBUCH D 2–D 5

18 Schreiben Sie Relativsätze im Nominativ.

1 *Er* fährt gern schnelle Motorräder.
2 *Er* hat ein Segelboot an der Adria.

Ich wünsche mir einen Freund,

1 *der gern schnelle Motorräder fährt.*
2 ________________________

3 *Sie* träumt von einem kleinen Garten.
4 *Sie* singt laut und schön unter der Dusche.

Ich wünsche mir eine Freundin,

3 ________________________
4 ________________________

5 *Sie* gehen jeden Tag mit mir auf den Spielplatz.
6 *Sie* streiten sich nie.
7 *Sie* sind mir wichtiger als mein Gameboy.

Ich wünsche mir Freunde,

5 ________________________
6 ________________________
7 ________________________

19 Schreiben Sie Relativsätze im Akkusativ.

1 Ich darf *ihn* kritisieren.

Ich wünsche mir einen Freund,

1 ____________________

2 Ich kann *sie* täglich sehen. 3 Ich kann *sie* immer um Rat fragen.

Ich wünsche mir eine Freundin,

2 ____________________

3 ____________________

4 Ich kenne *sie* schon sehr lange. 5 Ich kann *sie* täglich anrufen.

Ich wünsche mir Freunde,

4 ____________________

5 ____________________

20 Schreiben Sie Relativsätze im Dativ.

1 Ich würde *ihm* sofort mein neues Auto geben. 2 Meine Hobbys gefallen *ihm* auch.

Ich wünsche mir einen Freund,

1 ____________________

2 ____________________

3 Ich kann *ihr* alle meine Träume anvertrauen. 4 Ich schreibe *ihr* Liebesgedichte.

Ich wünsche mir eine Freundin,

3 ____________________

4 ____________________

5 Ich leihe *ihnen* gern meine neuen Computerspiele.

Ich wünsche mir Freunde,

5 ____________________

21 Schreiben Sie Relativsätze mit Präpositionen.

1 Ich reise *mit ihm* in ferne Länder.
2 Ich bekomme *von ihm* schöne Geschenke.

Ich wünsche mir einen Freund,

1 ______________________________

2 ______________________________

3 Ich möchte *mit ihr* romantische Stunden verbringen.
4 Ich treffe mich jeden Tag *mit ihr*.

Ich wünsche mir eine Freundin,

3 ______________________________

4 ______________________________

5 Ich bin nie *auf sie* wütend.

Ich wünsche mir Freunde,

5 ______________________________

6 Sie alle wünschen sich ein Leben, ________ sie glücklich macht und mit ________ sie zufrieden sind.

22 Ergänzen Sie die Relativpronomen.

Woran denken Sie beim Thema „Freundschaft"?

1 Ich denke an meine Freundin Sarah, _____ im selben Haus wohnt, _____ ich bedingungslos vertraue, mit _____ ich über alles sprechen kann, _____ ich oft um Rat frage, für _____ ich alles tun würde.

2 An Karsten. Das ist ein Mensch, _______ immer für mich da ist, wenn ich Probleme habe, _______ ich jederzeit anrufen kann, auch nachts, _______ ich in jeder Situation helfen würde, über _______ ich nie schlecht sprechen würde, von _______ ich Ehrlichkeit und Offenheit erwarte.

3 An Meike und Daniel. Das sind gute Freunde, ________ wir vor Jahren mal auf einer Party kennengelernt haben, mit ________ wir uns früher regelmäßig getroffen haben, ________ jetzt am anderen Ende der Welt leben, ________ wir leider nur noch selten sehen, ________ uns immer noch wichtig sind, ________ wir regelmäßig Briefe schreiben.

KURSBUCH D 6

23 Lesen Sie den folgenden Text.

Freundschaft fällt nicht vom Himmel

… Am meisten wünsche ich mir einen Freund. Aber Vater hat gesagt, Freundschaft fällt nicht vom Himmel wie Regen oder Schnee. Man muss sie suchen und finden und festhalten. Und man muss etwas dazu tun, hat er gesagt. Ähnlich wie mit einer Sparbüchse. Nimmt man immer nur Geld heraus und tut keines hinein, dann ist sie bald leer. Das alles hat Vater gesagt … *H. Grit Seuberlich*

Denken Sie an ähnliche Bilder für „Freundschaft" und schreiben Sie einen kleinen Text.

Freundschaft ist wie … Freundschaft ist kein …

Freundschaft ist wie eine Pflanze, die man regelmäßig gießen und pflegen muss, die zum Wachsen Sonne und frische Luft braucht und für die der richtige Platz sehr wichtig ist. …

24 Hören und antworten Sie.

Auf Ihrer Geburtstagsparty sind viele Freunde und Verwandte. Eine Freundin fragt Sie, wer wer ist. Antworten Sie.

- *Wer ist denn der Typ da hinten in der Ecke, der mit dem blauen Pullover?*
  - *Das ist mein Freund Sven, → mit dem ich letztes Jahr im Urlaub war.* ↘
- *Aha. Und die Frau neben ihm?*
  - *Das ist meine Tante Anna, → der ich alles erzählen kann und die immer für mich da ist, …*

1	Der Typ mit dem blauen Pullover.	Mein Freund Sven. Ich war mit ihm letztes Jahr in Urlaub.
2	Die Frau neben Sven.	Meine Tante Anna. Ich kann ihr alles erzählen und sie ist immer für mich da, wenn ich Probleme habe.
3	Die Frau mit den blonden Haaren.	Meine Nachbarin Jasmin. Ich helfe ihr immer im Garten.
4	Der große Dunkle im Jackett.	Armin. Er war früher mal mein Chef und arbeitet jetzt bei einer anderen Firma.
5	Der Mann mit den lockigen Haaren.	Mein bester Freund, Joachim. Ich kenne ihn schon seit meiner Schulzeit und ich kann ihm völlig vertrauen.
6	Die Frau in den bunten Klamotten.	Silke. Ich habe sie im Spanischkurs kennengelernt.
7	Die beiden da am Fenster.	Thomas und Michael. Ich habe mal mit ihnen in einer WG gewohnt.
8	Und die drei Frauen an der Tür.	Bekannte. Sie spielen mit mir im Verein Volleyball.

E Frohe Feste

25 Was passt nicht? Streichen Sie.

1	eine Einladung	bekommen ◆	annehmen ◆	~~abnehmen~~ ◆	ablehnen
2	dem Gastgeber	annehmen ◆	danken ◆	absagen ◆	zusagen
3	die Gäste	begrüßen ◆	besichtigen ◆	erwarten ◆	einladen
4	zum Geburtstag	gratulieren ◆	feiern ◆	einladen ◆	schenken
5	den Geburtstag	feiern ◆	vergessen ◆	notieren ◆	gratulieren
6	ein Jubiläum	haben ◆	begehen ◆	bekommen ◆	feiern
7	ein Examen	machen ◆	bestehen ◆	feiern ◆	zusagen
8	ein Geschenk	bedanken ◆	besorgen ◆	kaufen ◆	mitbringen
9	die Party	findet statt ◆	beginnt ◆	holt ab ◆	endet

26 Was passt? Ergänzen Sie.

ein Jubiläum ◆ dem Gastgeber ◆ die Gäste ◆ eine Einladung ◆ den Geburtstag ◆ ein Examen ◆ ein Geschenk ◆ ~~die Party~~

1 Sie findet statt, beginnt und endet. ______ *die Party* ______

2 Man macht, besteht es oder feiert es. ______________

3 Man feiert ihn, vergisst ihn oder notiert ihn. ______________

4 Man besorgt es, kauft es oder bringt es mit. ______________

5 Man begrüßt sie, erwartet sie oder lädt sie ein. ______________

6 Man dankt ihm, sagt ihm ab oder sagt ihm zu. ______________

7 Man hat es, begeht es oder feiert es. ______________

8 Man bekommt sie, nimmt sie an oder lehnt sie ab. ______________

KURSBUCH E 1–E 4

27 Ergänzen Sie die Reflexivpronomen im Dativ.

Der schönste Tag im Leben?!

Liebe Maria,

was für eine Aufregung! Ich habe gar nicht gewusst, dass Heiraten so anstrengend ist! Weißt Du, langsam kriege ich echt Panik. Plötzlich vergeht die Zeit so schnell! Ich habe _mir_ (1) z. B. immer noch kein Hochzeitskleid gekauft. Außerdem müssen Peter und ich ________ (2) auch noch die Ringe aussuchen. Aber zum Glück habe ich ________ (3) rechtzeitig einen Termin beim Frisör besorgt. Und weißt Du was? Peter sagt, er wünscht ________ (4) ewige Treue von mir. (Oh je, das stresst mich auch ein bisschen ...) Meine Eltern nerven auch ziemlich! Sie machen ________ (5) Sorgen, weil die Feier so viel Geld kostet. Und dann die ganze Organisation! Zum Glück wollen Rainer und Klara ________ (6) ein paar lustige Spiele für das Fest ausdenken. Du hast doch mal gesagt, Du könntest ________ (7) die Videokamera von Deinen Eltern ausleihen. Geht das? Sag mal, Maria, habt ihr ________ (8) den Raum, in dem wir feiern wollen, eigentlich schon mal angeschaut? Ich finde ihn wirklich schön. Ach, was ich noch vergessen habe ...

28 Wo steht das Reflexivpronomen? Ergänzen Sie.

1 Wann _/_ kaufst _/_ du _dir_ endlich _/_ eine neue Hose?
– Wieso? Die alte ist doch noch in Ordnung.

2 Wir ___ möchten ___ gerne ___ die Ausstellung im Kunsthaus ___ anschauen. Kommt ihr mit?
– Mal sehen.

3 Wo ___ habt ___ ihr ___ denn ___ diesen tollen Kerzenleuchter ___ gekauft?
– In Prag, als wir das letzte Mal dort waren.

4 Was ___ wünscht ___ er ___ eigentlich ___ zum Geburtstag?
– Keine Ahnung, da musst du ihn schon selbst fragen.

5 Ich ___ würde ___ am liebsten ___ den neuen Film mit Harrison Ford ___ anschauen, aber Stefan findet den so blöd.
– Das ___ kann ___ ich ___ vorstellen.

6 Hast ___ du ___ schon ___ überlegt, wohin wir dieses Jahr in Urlaub fahren könnten?
– Ehrlich gesagt, würde ich am liebsten zu Hause bleiben.

7 Maria hat gesagt, dass ___ du ___ die neue CD von den „Fantastischen Vier" ___ besorgt ___ hast. Könnte ___ ich ___ die mal ___ ausleihen?
– Klar, doch.

8 Hast du das gesehen? Die Nachbarn haben schon wieder ein neues Auto. Ich weiß gar nicht, wie ___ die ___ das ___ leisten ___ können.

29 Ergänzen Sie die passenden Reflexivpronomen.

1 ● Tut mir leid, dass ich ___ so spät melde. Ich habe ___ wirklich beeilt, aber es ging nicht früher.
■ Schon gut. Aber du solltest ___ bei Sonja entschuldigen. Die hat ___ sehr über dich geärgert.

2 ● Erinnert ihr ___ noch an die Silvesterparty bei Sven?
■ Ja, da haben wir ___ wirklich gut amüsiert.

3 ● Wünscht Omar ___ eigentlich etwas Bestimmtes zur Hochzeit?
■ Ich weiß nicht. Aber über einen Fernseher würde er ___ sicher freuen.

4 ● Kaufst du ___ ein neues Kleid für Evas Hochzeit?
■ Ja, aber ich weiß nicht, welches ich nehmen soll. Ich kann ___ so schwer entscheiden.

5 ● Freut Mira ___ auch schon so auf Isabels Geburtstag?
■ Ich glaube nicht. Auf Geburtstagspartys fühlt sie ___ nie so richtig wohl.

6 ● Interessierst du ___ eigentlich für Astrologie?
■ Ja, sehr, ich habe ___ gerade ein Buch über Horoskope gekauft.

7 ● Petra und Karin haben ___ was Verrücktes ausgedacht. Sie wollen Kontaktanzeigen aufgeben, um neue Leute kennenzulernen.
■ Was? So aktiv kenne ich die beiden ja gar nicht. Da haben sie ___ aber sehr verändert.

8 ● Habt ihr Lust, ___ den neuen Tarantino anzuschauen? Der läuft ab morgen im „Cinema".
■ Ja, warum nicht? Aber wir sollten ___ rechtzeitig Karten besorgen, das wird bestimmt voll.

Hören und vergleichen Sie.

KURSB E

30 **Was passt? Ergänzen Sie.**

~~Astrologe~~ *(m)* ◆ Horoskop *(n)* ◆ Krebs *(m)* ◆ Sternenkonstellation *(f)* ◆ Sternzeichen *(n)*

1 jemand, der sich mit dem Einfluss der Sterne auf das Leben der Menschen beschäftigt: *der Astrologe*
2 der Name für eine Gruppe von Sternen: ______
3 jemand, der in der Zeit vom 22. Juni bis 22. Juli geboren ist: ______
4 die Position der Sterne bei der Geburt: ______
5 Aussage über das Leben und die Zukunft eines Menschen: ______

31 **Lesen Sie jetzt den Text und unterstreichen Sie folgende Informationen:**

- Woher kennen die beiden Männer sich?
- Was sind sie von Beruf?
- Wo und wann ist der Autor geboren?

Sternzeichen

„Typisch Krebs", sagt H., ein Bekannter aus Heidelberg. Er meint, er erinnert sich noch an meinen Geburtstag: Ende Juni. Wir haben zusammen studiert. Heute ist er erfolgreicher Astrologe. Nach fünfzehn Jahren sehen wir uns zum ersten Mal wieder. Er will sofort ein genaues Horoskop für mich machen.

„Typisch für den Krebs ist seine Liebe zur Kunst", sagt er. Wichtig für meinen Lebensweg ist also seiner Meinung nach mein Geburtstag gewesen. Und er spricht immer wieder von Sternenkonstellationen. „Ich habe schon damals in Heidelberg genau gewusst, dass du trotz des Chemiestudiums in deinem tiefsten Inneren ein Künstler bist. Und was ist dann aus dir geworden, hm? Vielleicht ein Chemiker? Nein, ein Schriftsteller."

Araber feiern vieles, aber Geburtstage nie. Denn wenn man seinen Geburtstag genau kennt, wird man nur älter. Bei Europäern habe ich manchmal das Gefühl, sie sind alle am Bahnhof geboren. Sie wissen nicht nur das Datum, sondern sogar die genaue Uhrzeit ihrer Geburt. H., mein Bekannter, weiß auch die Temperatur und das Himmelsbild dieses Tages.

Als er geht, rufe ich meine Mutter in Damaskus an und frage sie, wann ich geboren wurde, denn ich glaube nicht, was in meinem Pass steht. „Anfang bis Mitte April", antwortet sie. „Die Aprikosen haben geblüht. Wir mussten uns aber wegen der Kämpfe in der Hauptstadt in den Bergen verstecken. Deshalb konnten wir dich erst danach in der Hauptstadt registrieren lassen. Das war dann Ende Juni." Und ich freue mich schon jetzt auf die nächste Begegnung mit H., dem Astrologen.

(nach: Rafik Schami)

Was ist das Problem? Lesen Sie noch einmal und schreiben Sie einen kurzen Text.

„wegen" und „trotz"
wegen der *Kämpfe in der Hauptstadt*
→ *… weil in der Hauptstadt gekämpft wurde.*
trotz des *Chemiestudiums*
→ *… obwohl du Chemie studiert hast.*

32 **Wie ist das in Ihrem Land? Sind Geburtstage und Sternzeichen wichtig? Schreiben Sie.** KURSBUCH F

F Der Ton macht die Musik

33 Hören Sie, sprechen Sie nach und markieren Sie.

6

Im Deutschen gibt es viele Konsonanten-Verbindungen: Man spricht zwei Konsonanten als Einheit (= direkt hintereinander) – dabei darf man zwischen den Konsonanten keinen Vokal hören.

[pf]	Pfeffer	Schnupfen	Kopf	Pflanze	tropfen	pflegen	Pfund	Äpfel
[kv]	Quatsch	Qualität	Aquarium	quengeln	Quote	quer	Antiquität	Qual
[ts]	ziemlich	Partizip	ganz	Sitz	nutzlos	Sätze	nichts	Rätsel
[ks]	Fax	reflexiv	links	denkst	magst	wächst	sechs	Wechsel

Ergänzen Sie die Regeln.

!
1 Die Buchstaben-Kombination „pf" spricht man immer ______
2 Die Buchstaben-Kombination „qu" spricht man immer ______
3 Die Lautverbindung **[ts]** schreibt man _z_ , ______ oder ______ *
4 Die Lautverbindung **[ks]** schreibt man _x_ , ______ , ______ oder ______

*[ts] spricht man auch „t" vor „-ion": Lek**t**ion, Sta**t**ion, Tradi**t**ion, tradi**t**ionell, funk**t**ionieren ...

34 Wo spricht man [ts]? Markieren Sie.

Hochzeitstag ◆ jetzt ◆ Herz ◆ Konjunktion ◆ Wanze ◆ Zäpfchen ◆ Spezialist ◆ Ergänzung ◆ zart ◆ schmutzig ◆ Platz ◆ verzweifelt ◆ Präposition ◆ Zeug ◆ Schmerzen ◆ Zahnarzt ◆ plötzlich

7

Hören Sie, sprechen Sie nach und vergleichen Sie.

35 Üben Sie.

8

[pf] Sagen Sie „aapp...", halten Sie den p-Verschluss und ziehen Sie die Unterlippe an die oberen Zähne zurück: „appp..." wird zu „apfff...".
Sagen Sie: A**pf**el, Ä**pf**el, **Pf**und, ein **Pf**und Ä**pf**el ...

[kv] Sagen Sie „akk...", halten Sie den k-Verschluss, legen Sie die Unterlippe an die oberen Zähne und öffnen Sie den Verschluss: „akkk..." wird zu „akvvv...".
Sagen Sie: A**qu**arium, **qu**er, **Qu**atsch, So ein **Qu**atsch! ...

[ks] Sagen Sie „takk...", halten Sie den k-Verschluss für einen Moment und sprechen Sie dann ein stimmloses „s": „takkk..." wird zu „takkksss...".
Sagen Sie: unterwe**gs**, se**chs**, Ta**x**is, unterwe**gs** mit se**chs** Ta**x**is ...

[ts] Sagen Sie „gehtt...", halten Sie den t-Verschluss und lösen Sie ihn dann vorsichtig: „gehtt..." wird zu „gehttss...".
Sagen Sie: Wie geh**t's**?, Fran**z**, ste**ts**, zusä**tz**lich, Por**t**ion, Pi**zz**a, Fran**z** isst ste**ts** eine zusä**tz**liche Por**t**ion Pi**zz**a ...

36 Wählen Sie einen Dialog oder ein Gedicht und üben Sie.

9-11

Komplizierte Sätze
Magst du Sätze mit Konjunktionen,
Partizipien und Wechselpräpositionen,
Präpositionalergänzungen und reflexiven Verben?
So ein Quatsch! Dieses nutzlose Zeug ist eine Qual –
auch Sätze mit Plusquamperfekt sind ganz unbequem!

Wechselhafte Gesundheitszustände
Ich hab' ziemliche Zahnschmerzen ...
Quengeln nutzt nichts – geh zum Zahnarzt!
Jetzt hab' ich plötzlich zusätzlich Kopfschmerzen ...
Nimm ein Zäpfchen oder Kopfschmerztabletten!
Das ist mir ein Rätsel: diese Schmerzen am Herzen ...
Geh zum Herzspezialisten – oder rufe i h n an!

Zungenbrecher
Wenn wegen Schnupfen Tropfen tropfen,
dann pfleg den Kopf mit Schnupfentropfen.

Max ist kein fixer Faxer –
fixe Faxer faxen sechs Faxe viel fixer
als Max sechs Faxe faxt.

Pflanzen mit Wanzen fehlt Pflanzenpflege,
die gepflegte Pflanze wächst ohne Wanze!

Testen Sie sich!

Was ist richtig: a, b oder c? Markieren Sie bitte.

Beispiel:
- ● Wie heißen Sie?
- ■ Mein Name ______ Schneider.
  - a) hat
  - X b) ist
  - c) heißt

1 ● Schau mal, in der Anzeige sucht einer eine ______ ______ Frau.
■ Der würde ja gut zu mir passen, ich lache ja sehr gern und viel.
- a) selbstständige
- b) selbstbewusste
- c) humorvolle

2 ● Die Anzeige der Sportstudentin klingt doch ganz nett, oder?
■ Dann melde ____ doch einfach mal bei ihr.
- a) dir
- b) sich
- c) dich

3 ● Worüber kann ich bloß mit ihr sprechen?
■ Vielleicht interessiert sie ______ ja auch für lateinamerikanische Musik?
- a) sich
- b) ihr
- c) sie

4 ● Freust du dich auch immer ______ Blumen?
■ Ja, allerdings muss ich mir die immer selbst kaufen.
- a) auf
- b) zu
- c) über

5 ● Wie nennt man Menschen, die ohne festen Partner leben?
■ Das sind ______.
- a) Alleinstehende
- b) Ausnahmen
- c) Partnerschaftsforscher

6 ● Was hältst du von Kontaktanzeigen?
■ ______ ist das eine gute Sache.
- a) Meine Meinung
- b) Ich meine
- c) Meiner Meinung nach

7 ● Weißt du schon das Neuste? Heike ____ bis über beide Ohren ______.
■ Nein, in wen denn?
- a) sich verliebt
- b) hat verliebt
- c) ist verliebt

8 ● Die ______ von Alex und Britta war wirklich ein tolles Fest.
■ Ja, schade, dass ich nicht kommen konnte.
- a) Heirat
- b) Ehe
- c) Hochzeit

9 ● Weißt du, was Verhaltensforscher sind?
■ Ja, das sind Personen, ______ das Handeln von Menschen und Tieren untersuchen.
- a) die
- b) denen
- c) der

10 ● Was sind für dich „gute Freunde"?
■ Das sind Menschen, ______ ich vertraue.
- a) den
- b) denen
- c) die

11 ● Ist das da drüben der Freund, von ____ du gestern gesprochen hast?
■ Nein, das ist Stefan, mein Arbeitskollege.
- a) dem
- b) wem
- c) den

12 ● Ist Stefanie eine Freundin von dir?
■ Nein, sie ist nur eine ______. Ich habe sie auf einer Party kennengelernt.
- a) Bekannte
- b) Verwandte
- c) Kollegin

13 ● Vielen Dank für eure Einladung, aber ich muss leider ______.
■ Ach, das ist aber schade!
- a) absagen
- b) zusagen
- c) abnehmen

14 ● Ich wünsche ______ zum Geburtstag etwas ganz Besonderes.
■ Einen neuen Partner?
- a) mir
- b) mich
- c) sich

15 ● Was soll ich meinen Großeltern nur zur „Goldenen Hochzeit" schenken?
■ Kauf ______ doch Konzertkarten.
- a) sie
- b) ihm
- c) ihnen

Selbstkontrolle

1 Liebe und Partnerschaft

Partnerschaft ist, wenn ______

Liebe ist, wenn ______

Beschreiben Sie Ihren Traumpartner / Ihre Traumpartnerin.

Er/Sie ist immer pünktlich. ______

______

Was wünschen Sie sich in einer Partnerschaft?

______

______

2 Freundschaft

Beschreiben Sie einen guten Freund und eine Bekannte.

Ein guter Freund ist ein Mensch, ...

der ______

den ______

dem ______

für den ______

mit dem ______

Eine Bekannte ist eine Person, ...

die ______

die ______

der ______

für die ______

mit der ______

3 Feste

Welche Feste kennen Sie?

______

______

Welches Fest ist in Ihrer Heimat besonders wichtig? Beschreiben Sie, wie Sie es feiern.

______

______

Ergebnis:

Ich kann ...	✔✔	✔	–
1 über Freundschaft und Liebe sprechen: – Begriffe erklären – meinen Traumpartner beschreiben – Wünsche ausdrücken			
2 über Freundschaft sprechen: – einen guten Freund beschreiben – eine Bekannte beschreiben			
3 über Feste sprechen: – verschiedene Feste benennen – ein Fest aus meiner Heimat beschreiben			
Außerdem kann ich ...			
wichtige Informationen in einem Zeitschriftenartikel verstehen und darüber diskutieren			
Kontaktanzeigen verstehen und schreiben			
einen Antwortbrief auf eine Kontaktanzeige schreiben			
ein kleines Gedicht über Freundschaft schreiben			
über Freundschaft diskutieren			

Lernwortschatz

Nomen

Abschied der, -e
Alltag der *(Singular)*
Bescheid der, -e
Bestehen das *(Singular)*
Dr. (= Doktor)
Ehe die, -n
Ehepartner der, -
Einladung die, -en
Feier die, -n
Figur die *(Singular)*
Frühjahr das *(Singular)*
Gedicht das, -e
Gesellschaft die, -en
Glückwunsch der, ¨-e
Gr. = Größe die, -n
Hochzeit die, -en
Innere das *(Singular)*
Interesse das, -n
Job der, -s
Kissen das, -
Künstler der, -
Kultur die *(Singular)*
Kuss der, ¨-e
Laune die, -n
Ingenieur der, -e
Politik die *(Singular)*
Post die *(Singular)*
Postkarte die, -n
Psychologie die *(Singular)*
Rezept das, -e
Ring der, -e
Telefongespräch das, -e
Überzeugung die, -en
Untersuchung die, -en
Verbindung die, -en
Witz der, -e

Verben

ankommen + auf Akk
ausdrücken + Akk
auf sich warten lassen
beweisen + Akk
erscheinen + Dat
fallen
gehören + zu Dat
halten + Akk + für Akk
handeln
hassen + Akk
kennenlernen + Akk
küssen + Akk
laden + Akk + zu Dat
laufen
leihen + Dat + Akk
mischen + Akk
mitbringen + Akk
sich ärgern + über Akk
sich anziehen
sich bedanken + für Akk
sich erholen + von Dat
sich halten + für Akk

sich melden
sich scheiden lassen + von Dat
sich verabschieden + von Dat
sich verlieben
sich wünschen + Akk

sinken
stattfinden
vertrauen + Dat
wandern
widersprechen + Dat
winken
zurückbekommen + Akk

Adjektive

aktiv
bereit
ernst
fern
finanziell
gefühlvoll
gemeinsam
geschieden
gut aussehend
hässlich
intelligent

offiziell
realistisch
schlank
sportlich
tolerant
treu
verschieden
vorsichtig
zufrieden
zuverlässig

Andere Wörter/Ausdrücke

allgemein
bis über beide Ohren
das Neuste
echt gut
Hand in Hand
mit Herz

neulich
schon jetzt
schwer zu sagen
viel/wenig/nichts halten + von Dat
zufällig

Fantastisches Unheimliches

LEKTION 2

A Das ist ja unheimlich!

1 Was passt zusammen? Sortieren Sie.

Außerirdische der, -n ◆ Engel der, - ◆ Fee die, -n ◆ Geist der, -er ◆ Hellseher der, - ◆ Hexe die, -n ◆ ~~Ufo das, -s~~ ◆ Vampir der, -e

1 *das Ufo, -s* *g*
2 ______
3 ______
4 ______
5 ______
6 ______
7 ______
8 ______

a) himmlische Wesen
b) Sie lieben Blut.
c) Sie sehen die Zukunft voraus.
d) Sie können zaubern und tun Gutes.
e) Sie kommen um Mitternacht.
f) Sie tun Böses.
g) eine Art Flugzeug
h) Sie kommen von einem anderen Stern.

2 Was gibt es wirklich? Was ist erfunden?

... gibt es	*... gibt es nicht*	*... gibt es vielleicht*

KURSBUCH A 2–A 5

3 12 **Hören Sie und machen Sie Notizen.**

1 *Herr Helmer*
3. September, lange am Computer, mit Hund raus, großes weißes Licht, Flugzeug? Angst, nicht wegrennen können, Ufo landete, Hund zum Raumschiff, 2 Leute aus Raumschiff mit silbernen Raumanzügen, nahmen ihn mit, bewusstlos, einen Monat später: Spaziergänger fanden ihn; Brief und Kugel, Krankenhaus, untersucht, nichts mehr wissen, alles im Brief

2 Frau Sander

3 Karlheinz Müllermann

4 Sabine

Berichten oder schreiben Sie mit den Stichwörtern über die Erlebnisse einer Person.

4 **Ergänzen Sie die Sätze.**

um den Lottoschein abzugeben ◆ vielleicht um einen Landeplatz zu suchen ◆ um ihn zurückzuhalten ◆ um sich das Ufo aus der Nähe anzuschauen ◆ um die Polizei anzurufen ◆ um auf sich aufmerksam zu machen ◆ um abzuwarten ◆ ~~um mit ihnen gemeinsam dieses Thema zu diskutieren~~ ◆ um sich die Beine zu vertreten ◆ um ihr von den mysteriösen Vorfällen zu berichten ◆ um zu sehen ◆ um einen Teil des Geldes zu holen

1 Wir haben einige Experten, die sich mit dem Thema Ufos lange beschäftigt haben, ins Studio eingeladen, *um mit ihnen gemeinsam dieses Thema zu diskutieren*.
2 Herr Helmer ging abends noch einmal raus, __________.
3 Er blieb stehen, __________, was passiert.
4 Das Ufo blieb in der Luft stehen, __________.
5 Er rief seinen Hund: „Halt, Waldi, bleib hier!“, __________
6 Frau Sander ist rausgegangen, __________.
7 Sie ist ins Haus zurückgegangen, __________.
8 Dann ist sie zum Fenster gerannt, __________, ob das Ufo noch im Garten steht.
9 Sie hat die Polizei angerufen, __________.
10 Herr Müllermann meint, dass ein paar Leute irgendwas erfinden, __________.
11 Sabine ging zur Lotto-Annahmestelle, __________.
12 Die Außerirdischen haben sich nicht gemeldet, __________.

Hören Sie noch einmal und vergleichen Sie.

5 Das Geheimnis der Zauberdinge. Bilden Sie Sätze mit „um ... zu“.

1 Legen Sie sich ein Eichenblatt in den Hut, *(die Füße vor Blasen schützen)*
... um die Füße vor Blasen zu schützen.

2 Legen Sie sich Tannenzapfen unters Kopfkissen, *(besser einschlafen können)*

3 Finden Sie einen Feuersalamander, *(sich gegen Feuer unempfindlich machen)*

4 Sammeln Sie Silberdisteln, *(gewaltige Körperkräfte bekommen)*

5 Essen Sie Schlangenfleisch, *(die Sprache der Tiere verstehen)*

6 Lassen Sie Spinnen über Ihre Hand laufen, *(Glück haben)*

7 Kaufen Sie einen Smaragd, *(Sehkraft und Gedächtnis stärken)*

8 Sammeln Sie Misteln, *(jung bleiben und sich vor Blitz, Feuer, Gespenstern und Zauberei schützen)*

6 Was passt zusammen? Markieren Sie.

1 gesund bleiben f
2 eine Million gewinnen
3 etwas über die eigene Zukunft erfahren
4 andere Leute kennenlernen
5 Land und Leute in fremden Ländern besser verstehen
6 informiert sein über das politische Geschehen
7 Romane schreiben
8 ein guter Sportler werden

a) länger dort leben müssen und die Sprache lernen
b) regelmäßig Zeitung lesen müssen
c) gut schreiben und viel Fantasie haben müssen
d) viel trainieren müssen
e) Lotto spielen müssen
f) sich gut ernähren müssen
g) zu einem Hellseher gehen müssen
h) abends ausgehen müssen

7 Bilden Sie „um ... zu“-Sätze mit den Wörtern aus Aufgabe 6.

1 Um gesund zu bleiben, müssen Sie sich gut ernähren.
2
3
4
5
6
7
8

8 **Haben Sie auch einen „Tick"? Wo steht „zu"? Ergänzen Sie.**

1 Julian geht jeden Abend vor dem Schlafengehen noch einmal ins Wohnzimmer, um _–_ nach*zu*schauen, ob der Fernseher ausgeschaltet ist.
2 Thomas schaltet abends das Licht an, um ___ besser ___ ein___schlafen ___ können.
3 Petra zieht sich in der Nacht ihre Mütze auf, um ___ nicht ___ an den Ohren ___ frieren.
4 Stefan liest jeden Tag eine halbe Stunde im Telefonbuch, um ___ Telefonnummern auswendig ___ lernen.
5 Martina wäscht sich permanent die Hände, um ___ keine ___ schlimme Krankheit ___ be___kommen.
6 Robert zieht sich zu jeder wichtigen Besprechung immer die gleiche Krawatte an, um ___ sich ___ sicher ___ fühlen.
7 Christina liest jede Woche ihr Horoskop, um ___ die folgende Woche ___ planen ___ können.
8 Silke steht immer eine halbe Stunde vor Abfahrt des Zuges auf dem Gleis, um ___ den Zug ___ nicht ___ ver___passen.
9 Meine Oma macht jeden Abend Gymnastik, um ___ 100 Jahre ___ alt ___ werden.

9 **Ergänzen Sie die Sätze.**

1 Ich lerne Deutsch, ...
2 Ich lese jeden Tag die Zeitung, ...
3 Ich brauche mein Auto, ...
4 Ich fahre in die Stadt, ...
5 Ich rufe meinen Bruder an, ...
6 Ich bleibe zu Hause, ...
7 Ich wandere aus, ...
8 Ich lege mich in die Sonne, ...
9 Ich schließe alle Fenster, ...

10 **Lesen Sie die Schlagzeilen und den Text.** KURSB A 6–

Gestern Abend im Fernsehen:
Millionen Zuschauer sahen Ufo landen

Sie waren gekommen, um mich zu holen

Mann von Außerirdischen entführt
nach 4 Wochen zurückgebracht – völlig verstört

Das unheimliche Haus
Jede Nacht um 24 Uhr kamen die Geister – Familie musste ausziehen

Wann?
Wer?
Wo?
Was?

Mann von Außerirdischen entführt
nach 4 Wochen zurückgebracht – völlig verstört

Am 3. September fanden Spaziergänger den völlig verstörten Walter H. Er lag bewusstlos am Main. Er hatte nur einen Brief und eine seltsame Kugel aus Glas in der Tasche.
Man brachte ihn ins Krankenhaus. Dort untersuchte man Herrn H. Er konnte sich zunächst an nichts erinnern, nicht einmal an seinen Namen. In dem Brief fand man aber Name, Adresse und Beruf des Mannes. Nach und nach kam dann seine Erinnerung zurück: Außerirdische waren direkt vor ihm gelandet, als er mit seinem Hund am Main spazieren ging. Sie nahmen ihn mit zu ihrem Stern und brachten ihn einen Monat später wieder zur Erde zurück. Sein Hund ist bis zum heutigen Tag verschwunden. An Einzelheiten kann Herr H. sich bis heute nicht erinnern.

Schreiben Sie dann einen kurzen Zeitungsbericht zu einer Schlagzeile. KURSB B 1–

B Ein Blick in die Zukunft

11 Wie heißen die Erfindungen und Entdeckungen? Sortieren Sie.

Antibiotikum *(n)* ◆ Kernspaltung *(f)* ◆ Automobil *(n)* ◆ Buchdruck *(m)* ◆ Computer *(m)* ◆ Dampfmaschine *(f)* ◆ DNA *(f)* ◆ Dynamit *(n)* ◆ elektrisches Licht *(n)* ◆ Relativitätstheorie *(f)* ◆ ~~Telefon *(n)*~~

1 2 3 4 5 6 7 8 9 10 11

1 Telefon, ______________________________

____

____

____

12 Wie hat sich das Leben durch diese Erfindungen bzw. Entdeckungen verändert? Schreiben Sie über einige.

Durch die Erfindung des Telefons hat sich das Leben der Menschen sehr verändert. Früher haben sich die Leute viel öfter besucht. Heute telefoniert man nur kurz und fragt: Wie geht's? Das finde ich schade.

...

13 Was wird es in Zukunft geben? Lesen Sie die Aussagen und ergänzen Sie.

1 Wenn Sie im Jahr 2020 das Internet nutzen wollen, *werden* Sie mit Ihrer Armbanduhr *reden*. *(reden)*
2 Der Laptop-Computer ______________ mit dem Mobiltelefon ______________ und Platz in einer Krawattennadel finden. *(verschmelzen)*
3 Sie ______________ Urlaub auf dem Mond ______________. *(machen – können)*
4 Brillen ______________ Kameras und Bildschirme ______________, über die man Videokonferenzen abhalten kann. *(enthalten)*
5 Damit ______________ Sie am Strand sitzen und an einer Besprechung im Büro ______________. *(teilnehmen – können)*
6 Die Brille ______________ auch die Fähigkeit ______________, Gesichter wiederzuerkennen. *(haben)* Sie kann Ihnen auf einer Party Namen Ihrer Gesprächspartner und deren komplette Biografie zuflüstern.
7 Heute können Sie unbemerkt an einem Herzinfarkt sterben. In Zukunft ______________ Ihre Kleidung den Puls ______________ und einen Krankenwagen rufen, wenn Ihnen etwas zustößt. *(kontrollieren)*
8 Die Menschen ______________ gegen jede Krankheit ein wirksames Medikament ______________. *(haben)*
9 Computer ______________ so selbstverständlich wie Lichtschalter ______________. *(sein)*
10 Es ist nicht vorstellbar, dass es in 20 Jahren denkende Roboter ______________ ______________. *(geben)*

Was finden Sie gut? Was würden Sie kaufen? Schreiben Sie.

14 Schreiben Sie über die Zukunft.

1 Im nächsten Jahrtausend werden die Menschen Urlaub auf dem Mond machen.
Auf dem Mond wird es Hotels und Restaurants geben.
3 Im Jahr 2050 wird es Roboter geben, die alle Haushaltsarbeiten machen.
Sie werden die Wäsche waschen und aufhängen. Sie werden ...

KURSB B 6–

C Der Ton macht die Musik

15 Hören und vergleichen Sie.

13

Es gibt im Deutschen einige Laute, die man leicht verwechseln kann.

Vergleichen Sie:	Juli	[l]	Juni	[n]
	leise	[l]	Reise	[r]
	Mehl	[l]	mehr	[ɐ]

16 „l", „n" oder „r"? Hören und markieren Sie.

14

	[l]	[n]		[l]	[n]		[l]	[r]		[l]	[ɐ]
1			7			13			19		
2			8			14			20		
3			9			15			21		
4			10			16			22		
5			11			17			23		
6			12			18			24		

17 Üben Sie.

15

Atmen Sie tief ein und sagen Sie „nnnnnnnnnnn".

Sagen Sie weiter „nnnnnnnnnn" und halten Sie sich die Nase fest zu. Aus „nnnnnn" wird „llllllllll".

Sagen Sie: la-la-lachen, le-le-leben, lie-lie-lieben, lo-lo-loben, lu-lu-lustig
erst nach links, dann leicht rechts

18 Hören Sie und sprechen Sie nach.

16

Wand – Wald von – voll	Zahn – Zahl Neid – Leid	Hans – Hals nass – lass	Anne – alle Kohl – Chor	Nacht – lacht
Rücken – Lücken riet – Lied	rockig – lockig Gras – Glas	Regen – legen Schrank – schlank	Regal – legal Kreis – Gleis	reiten – leiten
wahr – Wahl	Herr – hell	vier – viel	hart – halt	Worte – wollte

Makler	Fehler	Lehrling	Riesling	Kartoffel	Schnitzel	Schachtel
klingeln	wechseln	Vokabeln	ähnlich	ehrlich	endlich	unheimlich

19 Ergänzen Sie „l", „n" oder „r" und sprechen Sie.

Früh*l*ing	p_ima	Gefüh_	Inse_	Inse_at	Tech_ik
K_ima	t_effen	künst_ich	Compute_	Enge_	si_gen
büge_n	sch_afen	He_z	Küh_e	_echts	_inks
a_ _ein	_eer	de_ _	übe_a_ _	_aut_os	Sti_ _e
p_ötz_ich	ve_wechse_n	schne_ _	sp_echen	_äche_n	he_ _

17 **Hören und vergleichen Sie.**

20 Wählen Sie ein Gedicht und üben Sie. Dann lesen Sie vor.

18–22

Zukunftsprognosen
Computer lernen, sprechen, denken,
sie leiten und lenken
ohne Gefühle:
Nie weinen, lächeln, lachen, schlafen,
immer wachen
in liebloser Kühle.
Überall Glas statt Gras,
überall künstliches Licht,
doch Leben findet man nicht.
Unheimliche Stille,
die Welt wirkt leer –
gibt es denn gar keine Menschen mehr?

Prima Klima
Alle mögen Anne.
Anne mag uns alle.
Alle mögen alle.
Prima Klima!

Zungenbrecher
Blaukraut bleibt Blaukraut
und Brautkleid bleibt Brautkleid.

In Ulm, um Ulm
und um Ulm herum

Geisterstunde
Letzte Nacht um Mitternacht
bin ich plötzlich aufgewacht.
Ich sah ein Licht,
es war ganz hell,
mein Herz schlug schnell –
mehr weiß ich nicht.
Ich fühlte, ich war nicht allein:
Ich war umgeben
von lautlosem Leben –
dann schlief ich wieder ein.

lichtung
(von Ernst Jandl)
manche meinen
lechts und rinks
kann man nicht
velwechsern.
werch ein illtum* !

*Irrtum ≈ Fehler

D Krankheiten und Heilmittel

21 Wer hat welche Krankheit? Was ist hier passiert? Ergänzen Sie.

eine Beule / Durchfall / hohes Fieber / Halsschmerzen / einen Kater / Muskelkater / Nasenbluten / einen Schluckauf / Schnupfen / einen Sonnenbrand | **haben**

eine Biene hat gestochen ◆ sich in den Finger schneiden ◆ sich mit heißem Wasser verbrennen

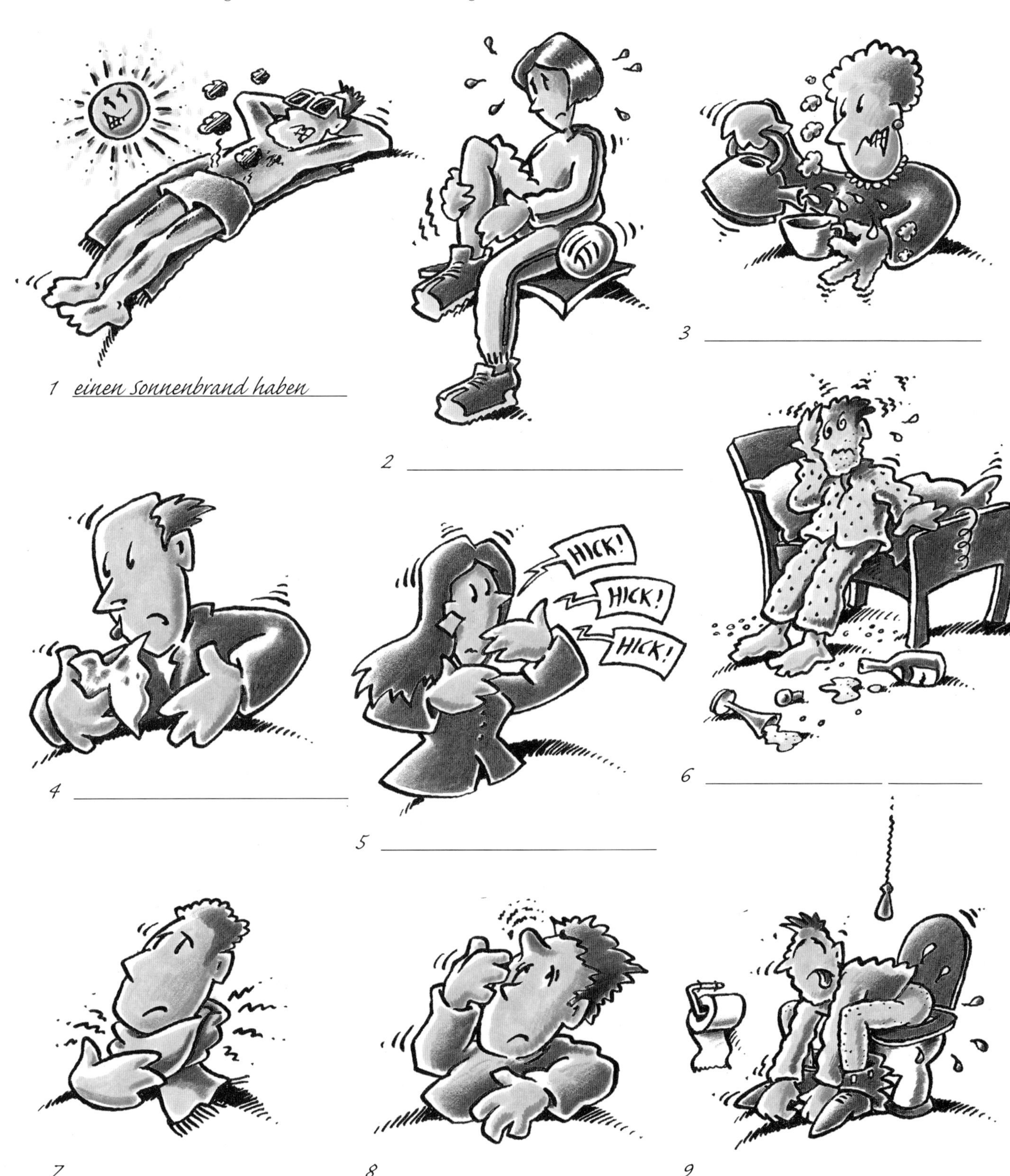

1 *einen Sonnenbrand haben*

2 ______

3 ______

4 ______

5 ______

6 ______ ______

7 ______

8 ______

9 ______

22 Was machen Sie, wenn Sie krank sind? Welche Hausmittel nehmen Sie? Üben Sie zu viert oder schreiben Sie.

heißen Tee mit Zitrone trinken ◆ Joghurt auf die Haut machen ◆ ein Bier trinken ◆ eine Zwiebelscheibe auf die Stelle legen ◆ Cola trinken und Salzstangen essen ◆ ein Stück Würfelzucker mit etwas Wasser auf die Stelle geben ◆ lange schlafen ◆ den Kopf nach hinten legen ◆ die Luft anhalten ◆ heiße Milch mit Honig trinken ◆ die Hand / den Fuß … unter kaltes Wasser halten ◆ einen Eisbeutel auf die Stelle legen ◆ Halswickel / Wadenwickel machen ◆ ein heißes Bad nehmen ◆ inhalieren ◆ …

- ● *Was machen Sie, → wenn Sie Sonnenbrand haben?* ↗
- ▲ *Wenn ich einen Sonnenbrand habe, → dann mache ich Joghurt auf die Haut* ↘. *Das ist schön kühl und hilft immer ganz schnell. Und was machst du?* ↗
- ● *Ich habe eine sehr gute Creme gegen Sonnenbrand.* ↘
- ■ *Wenn ich Sonnenbrand habe, mache ich gar nichts.* ↘ *Das geht auch so wieder weg.* ↘

…

23 Was passt zusammen?

1	Migräne	a)	starke Kopfschmerzen
2	Asthma	b)	man ist sehr traurig und mutlos – ganz ohne Grund
3	Neurodermitis	c)	unruhig, hektisch
4	Hexenschuss	d)	Schnupfen durch allergische Reaktionen
5	Heuschnupfen	e)	man kann nachts nicht gut schlafen
6	Schlafstörungen	f)	stark juckende Hautkrankheit
7	Depressionen	g)	starker Schmerz im Rücken, man kann sich nicht mehr bewegen
8	Nervosität	h)	starker Husten

Sortieren Sie und ergänzen Sie weitere Krankheiten.

Infektionen	Allergien	andere Krankheiten
Schnupfen	*Heuschnupfen*	*Migräne*

KURSBUCH D 1–D 4

24 Sprechende Gegenstände. Bilden Sie Sätze im Passiv.

1 Fußball:
(immer nur treten) (auch einmal streicheln)

Immer werde ich nur getreten.

Ich möchte auch einmal gestreichelt werden.

2 Puppe:
(immer nur an- und ausziehen) (in Ruhe lassen)

Immer

3 Wohnwagen:
(immer auf dem Campingplatz abstellen) (auch einmal in die Berge fahren)

Immer

4 Buch:
(immer nur lesen) (auch einmal hören)

Immer

5 Besen:
(immer in die Ecke stellen) (mal mitten auf den Tisch legen)

Immer

6 Koffer:
(immer nur voll packen) (mal leer spazieren tragen)

Immer

7 Briefmarke:
(immer nur auf einen Brief kleben) (auch einmal ohne Brief verschicken)

Immer

25 Was passt zusammen? Lesen Sie die Fragen und die Antworten und ergänzen Sie.

Sprechstunde

1 ____ Seit drei Jahren leide ich an Schwindel. Ich war bei vielen Ärzten, aber keiner konnte eine Ursache dafür feststellen. Es ist immer dasselbe: Sie hören sich kurz meine Probleme an, dann werde ich zu irgendeiner Untersuchung in ein Krankenhaus oder zu einem Spezialisten geschickt. Ich werde überhaupt nicht ernst genommen. Können Sie mir helfen?
Sabine S., Düsseldorf

2 ____ Ich habe seit meiner Jugend sehr starken Heuschnupfen. Meine Augen schwellen an, ich bekomme kaum mehr Luft, und im Gesicht habe ich dicke rote Flecken. Ich reagiere auf sehr viele Stoffe allergisch. Ich habe nun von einer Freundin gehört, dass Heuschnupfen mit einer Eigenbluttherapie behandelt werden kann. Was halten Sie von dieser Methode? Soll ich sie ausprobieren?
Peter Schober, Frankfurt

3 ____ Seit sechs Monaten leide ich an starken Bauchkrämpfen und habe immer wieder Durchfall. Ich war bei verschiedenen Internisten, die alle möglichen Untersuchungen gemacht haben. Aber sie konnten nichts finden. Ich habe keine Lust mehr, immer nur untersucht oder geröntgt zu werden. Was soll ich jetzt tun?
Jan H., Gelsenkirchen

4 ____ Jedes Jahr im Winter habe ich eine Erkältung nach der anderen. Ich komme überhaupt nicht zur Ruhe. Wenn ich zum Arzt gehe, werden mir meistens Antibiotika verschrieben. Ich fühle mich dann immer sehr schwach und ausgelaugt. Bisher konnte mir kein Arzt weiterhelfen.
Franziska Hase, Duisburg

Frau Dr. Sommer rät:

Hatten Sie in letzter Zeit viel Stress und viele Sorgen? Dann sollten Sie darüber nachdenken, ob Sie vielleicht einen Psychotherapeuten aufsuchen sollten. Schwindel ist oft ein Ausdruck von tief sitzenden Ängsten. Durch Gespräche mit einem Therapeuten können diese Ängste bewusst gemacht und behandelt werden. Auch ein Heilpraktiker wird Ihnen weiterhelfen können. ____ A

Sie sollten trotz schlechter Erfahrungen zum Arzt gehen. Aber zu einem, der sich auch mit alternativen Heilmethoden auskennt. Eine Möglichkeit, wie Ihre Darmerkrankung behandelt werden kann, ist die Symbioselenkung. Sie nehmen dabei ein spezielles Medikament ein, mit dem Ihr Darm saniert wird. Sie brauchen aber viel Geduld, Sie müssen das Mittel längere Zeit nehmen. ____ B

Ihr Immunsystem ist geschwächt. Sie sollten auf jeden Fall auf eine vitaminreiche Ernährung achten. Viel frische Luft und viel Bewegung sind auch hilfreich, um das Immunsystem zu stärken. Sie können auch bei einer Heilpraktikerin eine Eigenbluttherapie beginnen. Die Behandlung muss mehrmals durchgeführt werden. Sie bringt aber bei den meisten Patienten gute Erfolge. ____ C

Ich halte sehr viel von der Eigenbluttherapie. Gerade bei chronischen oder immer wieder auftretenden Krankheiten wie zum Beispiel Heuschnupfen, Asthma, Magen- und Darmgeschwüren und Neurodermitis wird sie mit gutem Erfolg angewendet. Probieren Sie es aus. ____ D

Frage	1	2	3	4
Antwort				

26 Markieren Sie alle Sätze mit „werden" und ergänzen Sie einige Sätze.

Hauptsatz	Verb 1		Verb 2
1 *dann*	*werde*	*ich zu irgendeiner …*	*geschickt.*
2			
3			
4			

Nebensatz	Verben
1	
2	
3	

27 Was wird hier gemacht? Schreiben Sie.

Eigenbluttherapie
a) Blut entnehmen/abnehmen aus der linken Armvene
b) Blut in den rechten Gesäßmuskel einspritzen

inhalieren
c) heißes Wasser und Kamillenblüten in einen Topf geben
d) ein Handtuch über den Kopf legen und den heißen Dampf inhalieren

Wadenwickel
e) Tücher und kaltes Wasser bereitstellen
f) die nassen Tücher um die Waden wickeln und den Patienten gut zudecken

Eigenbluttherapie
a) Zuerst wird Blut aus der Armvene entnommen.
b) Dann ___
Inhalieren
c) ___
d) ___
Wadenwickel
e) ___
f) ___

28 Hören und antworten Sie.

23

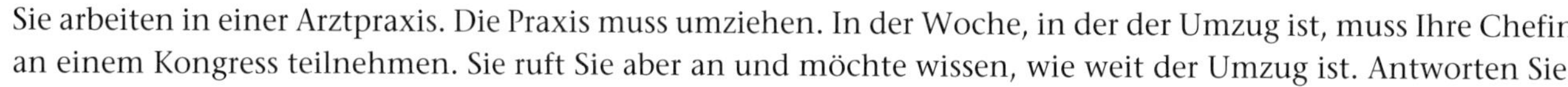

Sie arbeiten in einer Arztpraxis. Die Praxis muss umziehen. In der Woche, in der der Umzug ist, muss Ihre Chefin an einem Kongress teilnehmen. Sie ruft Sie aber an und möchte wissen, wie weit der Umzug ist. Antworten Sie.

■ *Hier Praxis Dr. Grandel, guten Tag.*
● *Guten Tag, Frau Behring. Ich wollte mal hören, wie der Umzug läuft. Klappt alles?*
■ *Ach ja, es sieht ganz gut aus.*
● *Na, prima. Sind die Computer schon ausgepackt?*
■ *Nein, → die **müssen** noch **ausgepackt werden.** ↘*
● *Ach so. Die müssen noch ausgepackt werden. Und was ist mit dem Faxgerät? Ist das Faxgerät schon angeschlossen?*
■ *Nein, → tut mir leid. Das **muss** noch **angeschlossen werden.** ↘*
● *Das muss noch angeschlossen werden. Ist das Praxisschild wenigstens schon angebracht?*

1 Computer schon ausgepackt?
2 Faxgerät schon angeschlossen?
3 Praxisschild schon angebracht?
4 Patienten benachrichtigt?
5 Visitenkarten bestellt?
6 Bilder schon aufgehängt?
7 Teppichboden im Wartezimmer schon verlegt?
8 Lampen schon aufgehängt?
9 Labor schon eingerichtet?
10 Telefon in der alten Praxis abgemeldet?
11 Zimmer in der alten Praxis schon gestrichen?
12 Stromrechnung von der alten Praxis schon bezahlt?

29 Flug mit dem Zauberteppich: Bilden Sie mit den kursiven Sätzen Nebensätze.

1 *Sie werden auf Händen getragen,* Sie sind ganz leicht.
Stellen Sie sich vor, dass *Sie auf Händen getragen werden.*

2 *Sie werden in die Wiese gelegt.* Sie spüren das Gras unter sich.
Stellen Sie sich vor, dass ______

3 Ein Zauberteppich fliegt über die Wiese. *Sie werden von einem kleinen Männchen mit einem langen Bart auf den Teppich eingeladen.*
Stellen Sie sich vor, dass ______

4 Der Zauberteppich fliegt los. *Sie werden leicht hin und her geschaukelt.* Sie fliegen immer höher, bis zu den Wolken.
Stellen Sie sich vor, dass ______

5 *Sie werden von den Wolken eingefangen und sanft gestreichelt.*
Stellen Sie sich vor, dass ______

6 Ihr Traum geht nun langsam zu Ende. *Sie werden wieder sanft auf den Boden zurückgelegt und werden von den leisen Tönen einer Geige aufgeweckt.*
Stellen Sie sich vor, dass ______

7 Sie schlafen noch? *Sie müssen kräftig geschüttelt werden.*
Stellen Sie sich vor, dass ______

8 Sie schlafen noch immer? *Sie müssen mit einem kalten Waschlappen aufgeweckt werden.*
Stellen Sie sich vor, dass ______

KURSBUCH D 6

E Zwischen den Zeilen

30 Lesen Sie den Text und ergänzen Sie die Präpositionen.

an (3x) ◆ auf (3x) ◆ bei ◆ mit (2x) ◆ nach ◆ über (3x) ◆ um ◆ von (2x) ◆ zu (2x)

Die Esoterik- und Gesundheitswelle

Sie wissen doch sicher, was Reiki ist? Sie achten natürlich ___auf___ (1) eine gesunde Ernährung ohne Fleisch und Sie verlassen sich bei gesundheitlichen Problemen nur noch ______ (2) Bachblüten oder homöopathische Mittel, nicht wahr? Sicherlich haben Sie sich ausgiebig ______ (3) Ihrem Geburtshoroskop beschäftigt, und bestimmt haben Sie schon mal ______ (4) einem Kurs teilgenommen wie „Handlesen für Anfänger" oder „Alles über Feng-Shui" ...

Nein? Das gibt es nicht! Die Esoterik- und Gesundheitswelle hat doch inzwischen alle erfasst! Sogar mich, obwohl ich nie viel ______ (5) solchen Dingen gehalten habe. Meine WG hat mich ______ (6) einem hervorragenden Kenner von alternativen Heil- und Gesundheitsmethoden gemacht. Früher waren wir eine ganz normale WG: Wir bereiteten uns ______ (7) Demos vor, diskutierten nächtelang ______ (8) Gott und die Welt und stritten uns regelmäßig ______ (9) unseren Putz- und Küchendienstplan.

Heute ist alles ganz anders. Zum Beispiel Monika: Sie war eigentlich nie krank; sie litt höchstens ______ (10) ganz normalen, alltäglichen Krankheiten wie Schnupfen oder Kopfschmerzen. Aber dann – ich erinnere mich noch ganz genau ______ (11) den Tag – kam sie einmal nach Hause und erzählte uns mit glänzenden Augen ______ (12) ihrem Besuch bei Gabis Heilpraktikerin. Seitdem stehen elf dunkelbraune Fläschchen in unserem Badezimmer, mit Tropfen gegen Pilze, gegen Bakterien, zur Stärkung des Immunsystems – für und gegen alles!

Oder Stefan: Vor ein paar Wochen roch die ganze Wohnung ______ (13) Räucherstäbchen. Stefan saß in seinem Zimmer auf dem Boden und meditierte; neben ihm stieg weißer Rauch auf. Was war nur passiert? Früher qualmten bei ihm doch nur die Zigaretten!

Und dann Verena: Ich ging damals sofort in die Küche, um ______ (14) ihr ______ (15) Stefans seltsame Entwicklung zu reden. Da saß sie mit einer Freundin am Küchentisch, und auf dem Tisch lag ein halbes Dutzend Bücher über Astrologie. Verena sagte: „Du störst uns. Sandra hilft mir gerade ______ (16) meinem Geburtshoroskop." Ich war entsetzt: Verena also auch!

Inzwischen sind unsere Regale voll von Steinen und Düften, die ______ (17) unseren Sternzeichen passen, und wir haben uns sogar ein paar Tage lang in Reiki ausbilden lassen, in der japanischen Kunst des Handauflegens. Ehrlich gesagt: Gesünder fühle ich mich heute nicht; aber ich kann jetzt wenigstens mitreden, wenn es ______ (18) Astrologie, makrobiotische Ernährung, spirituelle Kraft und ähnliche Themen geht ...

31 Ergänzen Sie die Beispielsätze.

Verb	Präposition	Beispiel
teilnehmen	*an DAT*	Bestimmt haben Sie schon mal an einem Kurs teilgenommen ...
leiden		
sich erinnern	*an AKK*	
achten	*auf AKK*	
sich verlassen		
sich vorbereiten		
helfen	*bei DAT*	
sich beschäftigen	*mit DAT*	
reden		
riechen	*nach DAT*	
streiten	*über AKK*	
diskutieren		
reden		
es geht	*um AKK*	
halten	*von DAT*	
erzählen		
machen	*zu DAT*	
passen		

32 Unterstreichen Sie die richtigen Präpositionen. Ergänzen Sie den Artikel, wenn nötig.

1 Warum streitet ihr euch denn schon wieder *nach/über/von* die ______ Vor- und Nachteile der herkömmlichen Medizin?

2 Erinnern Sie sich noch *an/über/zu* ______ komischen Arzt, der seine Patienten hypnotisiert hat?

3 Hier riecht es *über/zu/nach* ______ Medizin. Bist du krank?

4 Erzähl doch mal *von/zu/nach* dein___ Erfahrungen mit Akupunktur!

5 Diskutiert ihr wieder mal *nach/zu/über* ______ gesunde Ernährung?

6 Hilfst du mir bitte *bei/nach/zu* ______ Vorbereitungen für unseren Feng-Shui-Abend?

7 Du kennst dich doch in Astrologie aus. Welches Sternzeichen passt am besten *zu/von/nach* ______ Klaus?

33 Ergänzen Sie die Sätze. Schreiben Sie.

Manchmal erinnere ich mich ...
Ich halte nicht viel ...
Meine Nachbarin leidet ...
Sie beschäftigt sich oft ...
Im Haus riecht es oft ...

Ich verlasse mich ...
Ich achte ...
Hilfst du mir ...? / Soll ich dir ... helfen?
Diskutiert ihr manchmal ...?
Erzähl doch mal ...

Testen Sie sich!

Was ist richtig: a, b oder c? Markieren Sie bitte.

Beispiel:
- ● Wie heißen Sie?
- ■ Mein Name __________ Schneider.
  - [ ] a) hat
  - [x] b) ist
  - [ ] c) heißt

1 ● Wozu willst du denn zu einer Hellseherin gehen?
■ Ich möchte dahin, __________ etwas über meine Zukunft zu erfahren.
- a) um
- b) damit
- c) weil

2 ● Wozu brauchst du überhaupt ein Auto?
■ Um am Wochenende mal aufs Land __________.
- a) hinausfahren
- b) hinauszufahren
- c) hinausfahre

3 ● Wozu gehst du denn schon wieder zum Friseur?
■ Um eine neue Frisur __________.
- a) ausprobieren
- b) ausprobieren werden
- c) auszuprobieren

4 ● Glaubst du wirklich an __________?
■ Ja, natürlich. Jeden Morgen sehe ich in der Zeitung nach, was mir der Tag bringen wird.
- a) Horoskope
- b) Wahrsagen
- c) Vorhersagen

5 ● Wie war es denn bei der Hellseherin?
■ Sie hat gesagt, dass ich bald im Lotto __________ __________.
- a) gewinnen – wird
- b) gewinnen – werde
- c) gewinnen – können

6 ● Die Politikerin hat in ihrer Wahlrede angekündigt, dass es keine neuen Steuern __________ __________.
- a) wird – geben
- b) werden – geben
- c) geben – wird

7 ● Hast du schon den Wetterbericht fürs Wochenende gehört?
■ Ja, es __________ schön __________. Nur nachts regnet es vielleicht.
- a) bleiben – wird
- b) wird – bleiben
- c) muss – bleiben

8 ● Welche __________ findest du besonders wichtig
■ Das Telefon. Denn damit kann ich mit meinen Freund auf der ganzen Welt sprechen.
- a) Erfahrung
- b) Entdeckung
- c) Erfindung

9 ● Jeden Winter bekomme ich eine starke Erkältung. Was kann ich nur dagegen tun?
■ Sie sollten __________ jeden Fall viele Vitamine zu sic nehmen.
- a) in
- b) auf
- c) bei

10 ● Was machen Sie, __________ Sie Halsschmerzen haben?
■ Dann trinke ich immer heißen Tee mit Honig.
- a) wenn
- b) wann
- c) als

11 ● Viele Krankheiten __________ mithilfe von alternative Heilmethoden __________ __________.
- a) kann – geheilt – werden
- b) können – geheilt – werden
- c) geheilt – werden – können

12 ● Wie funktioniert eigentlich Chirotherapie?
■ Dabei __________ verspannte Muskeln durch spezielle Handgriffe wieder beweglich __________.
- a) werden – gemacht
- b) werden – machen
- c) wird – gemacht

13 ● Wie geht es dir eigentlich?
■ Nicht so gut, ich leide seit Wochen __________ Schlafstörungen.
- a) mit
- b) für
- c) an

14 ● Zahlt denn die Krankenkasse, wenn Aromatherapie bei Schlafstörungen __________ __________?
■ Nein, leider nicht.
- a) wird – eingesetzt
- b) eingesetzt – wird
- c) eingesetzt – werden

15 ● Was halten Sie __________ Akupunktur?
■ Sehr viel. Ich hatte jahrelang Bluthochdruck und erst d Akupunktur-Behandlung hat mir geholfen.
- a) von
- b) für
- c) auf

Selbstkontrolle

1 Fantastisches – Unheimliches

Was ist ein UFO?

Vor Ihnen landet ein UFO und zwei Außerirdische kommen zu Ihnen. Was machen Sie?

2 Zukunft

Was macht eine Wahrsagerin?

Welche Entdeckungen oder Erfindungen waren gut/schlecht für die Menschheit?

Wie werden die Menschen in 100 Jahren leben? Was meinen Sie?

3 Krankheiten und Heilmittel/-methoden

Erklären Sie kurz eine alternative Heilmethode.

Welche Hausmittel benutzen Sie?

Ergebnis:

Ich kann ...	✓✓	✓	–
1 über Fantastisches und Unheimliches sprechen: – erklären, was ein UFO ist – mir vorstellen, mit einem Außerirdischen zu reden			
2 über die Zukunft reden – sagen, was eine Wahrsagerin macht – über Erfindungen und Entdeckungen sprechen – sagen, wie die Welt in 100 Jahren aussieht			
3 über Krankheiten und Heilmethoden sprechen – alternative Heilmethoden beschreiben und bewerten – über Hausmittel sprechen			
Außerdem kann ich:			
einen kurzen Zeitungsartikel schreiben			
Prognosen verstehen und bewerten			

Lernwortschatz

Nomen

Abschied nehmen
Absicht die, -en
Antrag der, ¨-e
Balkontür die, -en
Bewegung die, -en
Blatt das, ¨-er
Blut das *(Singular)*
Druck der *(Singular)*
Durchfall der, ¨-e
Entdeckung die, -en
Erde die *(Singular)*
Erfindung die, -en
Erfolg der, -e
Erlebnis das, -se
Flur der, -e
Gas das, -e
Geduld die *(Singular)*
Hausarzt der, ¨-e
Hochschule die, -n
Hocker der, -
Hoffnung + auf Akk die, -en
Holz das, ¨-er
Kasse = Krankenkasse
Kosmetikerin die, -nen
Krankenkasse die, -n
Landschaft die, -en
Medikament das, -e
Muskelkater der, -
Mittel das, -
Mitternacht die *(Singular)*
Nadel die, -n
Passiv das *(Singular)*
Patient der, -en
Prognose, die, -n
Prozess der, -e
Publikum das *(Singular)*
Reaktion die, -en
Schnupfen der *(Singular)*
Sonnenbrand der, ¨-e
Spritze die, -n
Stimme die, -n
Tablette die, -n
Tanzkurs der, -e
Tod der *(Singular)*
Tropfen der, -
Verfahren das, -
Versprechen das, -
Viertelstunde die, -n
Vorhang der, ¨-e
Wahl die, -en
Wettervorhersage die, -n
Zentimeter der, -
Zitrone die, -n
Zukunft die *(Singular)*

Verben

achten + auf Akk
anbieten + Dat + Akk
annehmen + Akk
aufgeben
begründen + Akk
bestimmen + Akk
brauchen + Akk
diskutieren + über Akk
drücken + Akk
erreichen + Akk
frieren
geschlossen halten + Akk
gewinnen
helfen + bei Dat
klopfen
kreisen
kriegen + Akk
leben + von Dat
lehren + Akk
leiden + an Dat
lösen + in Dat
nehmen + Akk
rechnen + mit Dat

riechen + nach Akk
schwitzen
sich beschäftigen
+ mit Dat
sich bewegen + Akk
sich einstellen
sich hinsetzen
sich legen
sich treffen + mit Dat
sich verlassen + auf Akk
sich vorbereiten + auf Akk
+ für Akk
steuern
verlieren + Akk
verlassen + Akk
verschreiben + Akk
versprechen + Dat + Akk
verteilen + Akk
verursachen + Akk
wehtun + Dat
werten + über Akk
wusste + über Akk

Adjektive

alternativ
anstrengend
beruhigt
europäisch
fantastisch
friedlich
ewig
gering
griechisch

himmlisch
konzentriert
kräftig
mehrere
scheußlich
seltsam
traumhaft
unheimlich
vergeblich

Andere Wörter/Ausdrücke

alle		fast überhaupt nicht	
auf jeden Fall		für Morgen	
aufs Land		in der Regel	
bisher		in Mode kommen	
bewusster leben		Karten legen	
ehrlich gesagt		klipp und klar	
ein Geschäft führen		knapp 2 %	
eine Art (Flugzeug)		mit einem Schlag	
eine Zeit lang		monatelang	
einen Kater haben		um ... zu + Infinitiv	
einen Schluckauf haben		vor meinen Augen	
eines Tages		während	
entweder ... oder		wer immer	
ernst nehmen + Akk		zu sprechen sein	
es geht + um Akk		zu Ende bringen + Akk	
etwas/nichts tun + Dat		zur Ruhe kommen	

Wünsche und Träume

LEKTION 3

A Auf zu neuen Ufern!

1 Warum gehen Leute in ein anderes Land? Schauen Sie sich die Bilder und Anzeigen an. Sammeln Sie Gründe und schreiben Sie.

Familie in Genf sucht per Sept. 2005–Juni 2006 sportliches, aufgeschlossenes und vielseitig interessiertes

Au-pair-Mädchen

mit Führerschein zur Mithilfe im Haushalt und bei der Kinderbetreuung. Schriftliche Bewerbung mit Lebenslauf und Bild an
ZE 9092 DIE ZEIT, 20079 Hamburg

Viele Leute gehen in ein anderes Land,
Andere wollen Land und Leute kennenlernen / …,
Viele hoffen / versuchen …,

weil ihr Partner dort lebt / …
deshalb …
ihre Chancen im Beruf zu verbessern / …

2 Lesen Sie zuerst die Aufgaben und dann den Text. Markieren Sie.

1 Wenn man ins Ausland geht,
- a) ist es wichtig, weit weg zu gehen.
- b) spielt die Entfernung keine Rolle.
- c) sollte man nicht nach Goa gehen.

2 Wer ins Ausland geht,
- a) hat weniger Chancen im Beruf.
- b) hat berufliche Vorteile.
- c) hat viele Probleme.

3 Die HypoVereinsbank
- a) will nur Leute, die einen Sprachkurs in Italien gemacht haben.
- b) stellt nur Personen ein, die gut Englisch sprechen.
- c) nimmt lieber Personen, die schon mal im Ausland waren.

4 Im Ausland
- a) sammelt man Erfahrungen über sich selbst.
- b) sollte man sich erst einmal an den Strand legen.
- c) sollte man Bücher über andere Kulturen lesen.

Ein Jahr ins Ausland – Was bringt's?

Ins Ausland gehen, um für einige Zeit ganz anders zu leben und zu arbeiten, gibt einem die Chance, sich auszuprobieren, sich in einer neuen Umgebung zu erleben, Spaß zu haben und auch mit ungewohntem Stress klarzukommen. Neugier, Abenteuerlust, persönliche Weiterentwicklung – alles gute Gründe loszuziehen. Dabei ist es ziemlich unwichtig, wie viele Kilometer man zurücklegt. Hauptsache, Ausland. Und: Hauptsache, man ist offen für das Neue, das Ungewohnte, das Fremde.

Denn Erfahrungen im Ausland sind ja heute nicht nur in den Lebensläufen von Karrierefrauen und -männern ein Muss. In immer mehr Firmen wird Arbeit inzwischen global verteilt; wer dann die Welt schon kennt, zieht leichter einen Joker.

„Heute verändert sich die Arbeitswelt sehr schnell. Tätigkeiten in einem Unternehmen verschwinden, dafür werden andere neu geschaffen", sagt Dr. Isa M., Abteilungsleiterin beim Personalvorstand der HypoVereinsbank. „Also müssen wir schon bei der Einstellung schauen, wo die Bewerberinnen später vielleicht sonst noch eingesetzt werden können." Und da ist es natürlich von Vorteil, wenn sich eine Sekretärin mal bei einer Firma in England durchgebissen und womöglich einen Sprachkurs in Italien gemacht hat.

Karin S., Referatsleiterin bei der Bundesanstalt für Arbeit, nennt noch einen Vorteil nach Auslandsaufenthalten: „Viel wichtiger als das von dort mitgebrachte Wissen ist die Signalwirkung, die davon ausgeht: Die ist beweglich. Die hat sich umgeschaut." Soll heißen: Wer länger im Ausland war, lässt allein dadurch schon eine Persönlichkeitsstruktur erkennen, die in weltweit tätigen Firmen immer stärker gefragt ist. „Gerade bei Führungskräften achten wir darauf," konkretisiert Isa M., „wie sie andere Kulturen wahrnehmen und mit ihnen umgehen können. Außerdem sind Erfahrungen im persönlichen ‚Chaos-Management' immer gut."

Aber wenn es jemand in die Ferne zieht, sollte er zumindest ein Ziel vor Augen haben. Isa M.: „Wenn man ein Jahr nach Goa geht und sich dort an den Strand legt, ist das natürlich zu wenig, um später damit beruflich zu glänzen."

3 Was passt zusammen?

1 ein Muss sein	*d*	a)	im Beruf erfolgreich sein
2 einen Joker ziehen		b)	ins Ausland gehen
3 sich durchbeißen		c)	Glück haben
4 in die Ferne ziehen		d)	eine notwendige Voraussetzung sein
5 beruflich glänzen		e)	(in einer schwierigen Situation) nicht aufgeben
6 global		f)	weltweit

4 Waren Sie oder Freunde/Bekannte/Verwandte von Ihnen bereits im Ausland? Schreiben Sie.

Land/Wohnort ◆ Dauer ◆ Gründe ◆ Erfahrungen mit der Arbeit/dem Beruf/Freundschaften/Bekanntschaften ◆ wichtige Erlebnisse ◆ Unterschiede zur eigenen Kultur

KURS A 3-

5 Ergänzen Sie „um ... zu + Infinitiv" oder „ohne ... zu + Infinitiv".

„ohne ... zu + Infinitiv"
Wir haben unsere Jobs gekündigt, ohne lange nachzudenken.

„um ... zu + Infinitiv"
Wir haben unsere Jobs gekündigt, um unsere Traumreise nach Amerika vorzubereiten.

1 Maria Malina möchte später studieren: Deutsch und Englisch, ___um___ vielleicht Dolmetscherin oder Lehrerin ___zu___ ___werden___ *(werden)*.

2 Sie wollte unbedingt ins Ausland gehen, ________ ihre Fremdsprachenkenntnisse ____________ ________________ *(verbessern)*.

3 Sie möchte nicht in diesen Berufen arbeiten, ________ die Fremdsprachen perfekt ____________ ____________ *(sprechen)*.

4 Maria Malina glaubt, ________ richtig gut ____________ ____________ ________________ *(sprechen – können)*, muss man in das jeweilige Land und dort die Sprache lernen.

5 Kyung-Ya Ahns Mann bekam das Angebot, nach Deutschland zu gehen: Er hat, ________ seine Familie ____________ ____________ *(fragen)*, gleich ja gesagt.

6 Kyung-Ya Ahn ist in die Volkshochschule gegangen, ________ Deutsch ____________ ____________ *(lernen)*.

7 Claude Vilgrain findet: Das Publikum in Frankfurt ist – ________ ____________ ________________ *(übertreiben)* – neben dem Düsseldorfer das beste in der Liga.

8 Er und seine Familie werden noch einige Jahre in Europa bleiben, auch ________ ihren Töchtern die Möglichkeit ____________ ____________ *(geben)*, ein, zwei Sprachen zu lernen.

9 Vor einem Monat haben Klaus und Sabine Schiller, ____________ lange ______________ *(nachdenken)*, ihre Jobs gekündigt, ____________ ihre Traumreise durch Amerika ____________________ *(vorbereiten)*.

10 Ein ganzes Leben in einem Job bleiben, nur ____________ im Alter abgesichert ____________ ____________ *(sein)*? Das können die beiden sich nicht vorstellen.

KURSBUCH A 5

B Heimat

6 Lesen Sie die Texte. Welche Assoziationen gibt es zum Begriff „Heimat"? Machen Sie Notizen.

Heimat ist eine Person.
Heimat kann sein, wo ich wohn.
Heimat ist Erinnerung.
Heimat ist immer jung.
Heimat, die meine Sprache spricht.
Heimat gewohntes Licht.
Heimat liegt im Bauch.
Heimat ist ein Brauch.
Heimat macht Geschichte.
Heimat trägt Gewichte.

Anna Thalbach, 26,
Schauspielerin in Berlin

Hei·mat *die; -; nur Sg;* **1** das Land, die Gegend od. der Ort, wo j-d (geboren u.) aufgewachsen ist od. wo j-d e-e sehr lange Zeit gelebt hat u. wo er sich (wie) zu Hause fühlt ⟨seine H. verlieren; (irgendwo) e-e neue H. finden⟩: *Nach zwanzig Jahren kehrten sie in ihre alte H. zurück* ‖ K-: **Heimat-, -dorf, -land, -liebe, -museum, -ort, -stadt 2 die zweite H.** ein fremdes Land, e-e fremde Gegend, ein fremder Ort, wo man sich nach einiger Zeit sehr wohl fühlt: *Sie stammt aus Hamburg, aber inzwischen ist Würzburg zu ihrer zweiten H. geworden*

Heimat = Person, ...

7 Ergänzen Sie. Vergleichen Sie dann im Kurs.

Wenn Heimat eine/ein ... wäre, ...

Farbe ◆ Haus ◆ Kleidungsstück ◆ Lebensmittel ◆ Fahrzeug ◆ Person ◆ Tier ◆ Geräusch

● *Wenn Heimat eine Farbe wäre, welche Farbe wäre sie?*
▲ *Für mich wäre Heimat die Farbe grün. Ich komme vom Land. Wenn ich an Heimat denke, dann sehe ich grüne Wiesen und Bäume und denke an den Frühling, wenn alles grün wird.*
...

8 Lesen Sie die Statistik und den Text. Ergänzen Sie die Statistik.

Distanz zum Land

Heimatgefühle erzeugt bei 89 Prozent der Deutschen nicht ihr Land, sondern ihre nähere Umwelt: der Ort, an dem sie leben (31 %), der Ort, an dem sie geboren sind (27 %), ihre Familie (25 %), ihre Freunde (6 %). Nur elf Prozent der Bürger verbinden Heimat zuerst mit Deutschland.

Auffällig ist auch der niedrige Stellenwert des Landes als Heimat bei den Altersgruppen der 18–24-Jährigen und 25–29-Jährigen: 1 Prozent. Bei den über 60-Jährigen sind es 14 Prozent. Und was immer die Bürger als ihre Heimat betrachten: Für 56 Prozent der Deutschen hat der Begriff im Zeitalter der Globalisierung an Bedeutung gewonnen: Nur 25 Prozent geben an, dass ihnen Heimat heute weniger bedeutet als früher.

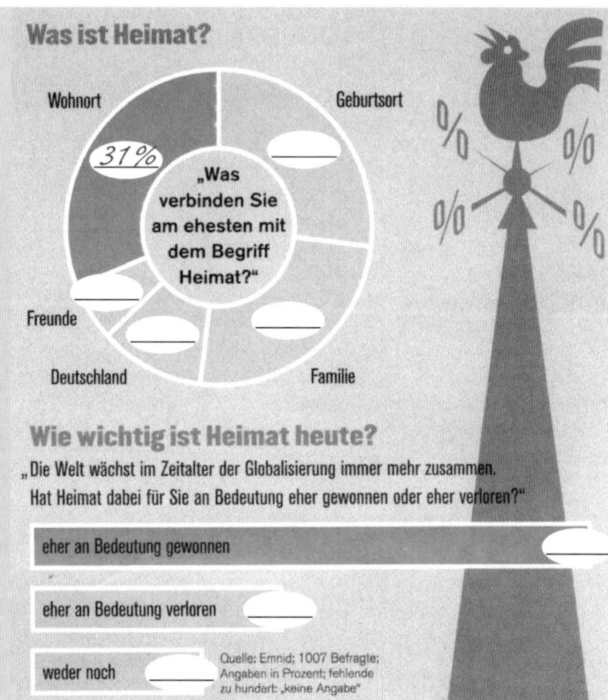

Was überrascht Sie? Wie ist das in Ihrem Land? Schreiben Sie.

9 Hören und markieren Sie: richtig oder falsch?

4–25

Los Angeles
„Bingo, das ist deine Chance"

Helen Sager, 21

		richtig	falsch
1	Helen Sager ist nach Kalifornien gegangen, um an einer Zeichentrick-Schule zu studieren.		
2	Helen fuhr in die USA, ohne zu wissen, ob sie einen Studienplatz erhält.		
3	Sie kann als Ausländerin in den USA studieren, ohne Studiengebühren bezahlen zu müssen.		
4	Ihre Familie unterstützt Helen, damit sie diese einmalige Chance nutzen kann.		
5	Helen will in den USA bleiben, um ihre beruflichen Chancen zu verbessern.		

New York
„Hier musst du zugreifen, wenn du nicht untergehen willst"

Petra Wesslein, 30

		richtig	falsch
6	Petra Wesslein ist mit 20 nach New York gegangen, um dort als Au-pair-Mädchen zu arbeiten.		
7	Sie kam dort an, ohne ein Wort Englisch zu können.		
8	In der amerikanischen Familie wurde nur Englisch gesprochen, damit Petra die neue Sprache schnell lernt.		
9	Petra hat später in einer Bäckerei gearbeitet, um länger in den USA bleiben zu können.		
10	Petra will nicht mehr nach Deutschland zurück.		

10 Ergänzen Sie „um ... zu", „damit" oder „weil"

A Ich würde gerne in einem anderen Land leben, ...

1 *um* mehr Distanz zur eigenen Kultur zu haben.
2 *damit* meine Eltern stolz auf mich sind.
3 ________ meine Eltern auch immer im Ausland gelebt haben.
4 ________ jeder Tag ein neues Abenteuer sein soll.
5 ________ meine Kinder die Möglichkeit haben, zweisprachig groß zu werden.
6 ________ meine Berufschancen sich verbessern.
7 ________ eine andere Sprache fließend sprechen zu können.
8 ________ neue Leute kennenzulernen.
9 ________ ich immer etwas Neues erleben will.

B Ich möchte nicht gerne im Ausland leben, ...

1 ________ meine Freunde mich nicht vergessen.
2 ________ nichts zu riskieren.
3 ________ meine Kinder nicht in einer anderen Kultur leben müssen.
4 ________ ich mich dort an das Neue anpassen muss.
5 ________ mich nicht fremd zu fühlen.
6 ________ meine Identität nicht zu verlieren.
7 ________ ich einen engen Kontakt zur Familie habe.
8 ________ meine Erinnerungen an meine Kindheit nicht verloren gehen.
9 ________ ich Angst vor der Einsamkeit habe.

11 Was zieht die Menschen in die Ferne, was hält sie zu Hause? Sortieren Sie.

~~Abenteuer~~ / Risiko ... suchen ◆ ~~Sicherheit im Beruf nicht aufgeben wollen~~ ◆ Freunde ... verlieren ◆ neue Erfahrungen sammeln ◆ Familie / Freunde ... in nächster Umgebung haben ◆ fremde Sprachen und Kulturen kennenlernen ◆ eigene Grenzen erfahren ◆ Geborgenheit ... suchen ◆ Distanz zur eigenen Kultur haben ◆ einen anderen Blick auf die eigene Kultur suchen ◆ bessere Chancen im Beruf haben ◆ mit Menschen in anderen Kulturen zusammenarbeiten ◆ Menschen in anderen Ländern helfen ◆ über andere Länder berichten können ◆ Langeweile haben ◆ Heirat / Partnerschaft ◆ Selbstbewusstsein stärken ◆ seinen eigenen Horizont erweitern ◆ Angst vor dem Alleinsein / dem Neuen ... haben

– zieht die Menschen in die Ferne	– hält die Menschen zu Hause
Abenteuer suchen	*Sicherheit im Beruf nicht aufgeben wollen*

Sammeln Sie weitere Gründe und schreiben Sie.

Mich zieht es in die Ferne, ...
Viele Menschen gehen ins Ausland, ...
Ich bleibe lieber zu Hause, ...
Manche /Viele bleiben lieber zu Hause, ...

um ... zu
damit
weil

KURS B

12 Lesen und markieren Sie.

Lesen Sie zuerst die acht Situationen und dann die zehn Anzeigen. In welcher Anzeige finden Sie das, was Sie suchen? Ergänzen Sie den Buchstaben der passenden Anzeige (a–j).
Sie können jede Anzeige nur einmal verwenden. Es ist auch möglich, dass Sie das, was Sie suchen, nicht finden. In diesem Fall schreiben Sie „0".

Situationen

1 Sie suchen ein Buch für eine Freundin, die gerne kocht. ☐

2 Sie möchten für ein Jahr im deutschsprachigen Ausland arbeiten, am liebsten mit Kindern. ☐

3 Ihre Tochter möchte ein Jahr in Italien zur Schule gehen. Sie suchen Tipps und Informationen. ☐

4 Sie interessieren sich für die Geschichte und Probleme binationaler Ehepaare. ☐

5 Die elfjährige Tochter Ihrer Freunde ist schlecht in Englisch und braucht deshalb noch Unterricht außerhalb der Schule. ☐

6 Sie möchten, dass Ihr Sohn reiten lernt. ☐

7 Sie möchten Ihr Englisch auffrischen und suchen einen passenden Kurs. ☐

8 Sie möchten dieses Jahr in Ägypten Urlaub machen. Sie suchen Informationen. ☐

Kunterbunt

KUNTERBUNTER MARKT

a) **Fremdsprachen-Korrespondentin** erteilt Schülern € 14,–/45 Min. Engl.-Unterr. sowie Erw. Business-Engl. € 18,–/45 Min.
Tel.: 0 69/77 21 31

b) **Ägypten** ab 350,–
Super-Sonderangebote in den Sommerferien.
Fordern Sie noch heute die ausführlichen Programme beim

Reiseservice

Ihrer lokalen Heimatzeitung an.
Tel.: 0 69/36 66 66 oder
Fax: 0 69/36 55 11

c) **Buchtipps:**

Wenn Sie Lust auf arabische Küche haben oder sich mit ihr vertraut machen wollen – es gibt zwei tolle neue Kochbücher: „Rezepte aus der Kasbah" von Kitty Morse mit wunderschönen Fotos (24,00 Euro). Und „Arabische Rezepte rund ums Mittelmeer" von Claudia Roden (29,90 Euro).

d) Familie in Genf sucht per Sept. 2005 bis Juni 2006 sportliches, aufgeschlossenes und vielseitig interessiertes

Au-pair-Mädchen

mit Führerschein zur Mithilfe im Haushalt und bei der Kinderbetreuung. Schriftliche Bewerbung mit Lebenslauf und Bild an
ZE 0194 Die Zeit, 20079 Hamburg

e) **Ausbildung** zur med. Fußpflege und Reflexzonenmassage.
Info: (0 51 75) 9 74 51

f) *Sylvia Englert:*

Ein Schuljahr im Ausland

Für alle Jugendlichen und Eltern, die über ein Schuljahr im Ausland nachdenken, ist das Buch zu empfehlen. Es enthält viele Tipps, wichtige Hinweise und ein sehr umfangreiches Adressenverzeichnis. (Reihe campus concret im Campus Verlag; 14,90 Euro)

g) **Lehrerin v. d. Intern. School** erteilt Englischunterr., für Kindergruppe 8–12 J., Info + Anmeld. Tel.: 0 69/38 99 23

h) **Student gibt Unterricht** in Klavier und Keyboard.
Tel. 0 61 92/2 46 72 und
mobil 01 71/1 94 63 23

i) **Tagesmutter** nimmt noch ein Kind in liebevolle Pflege auf.
Tel. 0 89/39 58 12

j)

Renan Demirkan:

Schwarzer Tee
mit drei Stück Zucker

Eine junge Türkin wartet in einer deutschen Klinik auf die Geburt ihres Kindes. Und sie erinnert sich mit Humor und Bitterkeit: an die strengen Großeltern, an die erste Liebe zu einem Deutschen, an die Qual, sich ständig entscheiden zu müssen – türkisch oder deutsch? Sie will beides sein und darf es nicht. Goldmann TB 4,90 €

Barbara Yurtdas:

Wo mein Mann zu Hause ist und **Wo auch ich zu Hause bin**

Irmgard heiratet einen Türken, zieht mit ihm in seine Heimat. Alle Verwandten und Freunde sind entsetzt. In ihren beiden Romanen beschreibt Barbara Yurtdas den exotischen Alltag der Deutschen Irmgard und die Erfahrung, wie aus Unkenntnis Hass und aus Neugier Verständnis entsteht.
rororo 9,90 € und
Piper 7,40 €

Alice Walker:

Im Tempel meines Herzens

Zwei farbige Paare, vier Schicksale, aber ein kollektives Trauma, das sie liebes- und lebensfähig macht: das Amerika der frühen Jahre, das ihre Urahnen zu Sklaven degradierte. Doch eine alte Frau mit der Begabung, Geschichten zu erzählen, in denen sich Vergangenheit und Gegenwart verknüpfen, kann Seelenwunden heilen.
rororo 7,40 €

C Zwischen den Zeilen

13 Lesen Sie die Sätze und unterstreichen Sie alle Nomen mit Präpositionen.

1 Ich hatte vier Jahre lang Heimweh nach Deutschland und Sehnsucht nach meinen Freunden.
2 Eine junge Türkin erinnert sich an die erste Liebe zu einem Deutschen.
3 Ich habe Angst vor der Abhängigkeit, in die man bei Krankheit gerät.
4 Keine Zeit für Heimweh: Drei junge Frauen berichten über ihre Erfahrungen im Ausland.
5 Wenn Sie Lust auf arabische Küche haben (...) – es gibt zwei tolle neue Kochbücher.
6 Ich würde gerne in einem anderen Land leben, weil ich großes Interesse an fremden Kulturen habe.
7 Früher habe ich mich als Münchner gefühlt, heute eher als Gast, trotzdem habe ich die Hoffnung auf einen guten Job noch nicht aufgegeben.

14 Ergänzen Sie die passenden Nomen und Ergänzungen.

Lerntipp:
Viele Nomen können weitere Ergänzungen mit Präpositionen haben. Nicht alle Nomen und Präpositionen passen zusammen – es gibt feste Kombinationen. Lernen Sie die Nomen immer zusammen mit den passenden Präpositionen und schreiben Sie sich Beispielsätze auf.

Präposition	Nomen + Ergänzung
nach + DAT	*Heimweh nach Deutschland*
vor* + DAT	
an* + DAT	
zu + DAT	
für + AKK	
auf* + AKK	

* *Diese Präpositionen können mit Dativ oder Akkusativ verwendet werden. Das hängt jeweils vom Kontext ab.*

15 Ergänzen Sie.

Neue Nachricht - Microsoft Outlook

An... Isabella
Cc...
Betreff:

Liebe Isabella,
es tut mir leid, dass Du so lange keine Nachricht von mir erhalten hast. Ich finde momentan kaum die ________________ (1) einen Brief, deshalb schicke ich Dir schnell eine E-Mail.
Nun bin ich bereits seit zwei Monaten hier in dieser verrückten Millionenstadt Jakarta, vollkommen eingenommen von den neuen Gerüchen, Bildern und Menschen. Abends plagt mich manchmal das ________________ (2) unserer kleinen Kneipe, wo wir uns immer kurz auf ein Bier getroffen haben. Diese Abende fehlen mir schrecklich.
Ich habe hier als Frau alleine auch etwas ________________ (3) der Dunkelheit, es ist einfach ungewöhnlich, abends „weiße" Frauen alleine auf der Straße zu sehen. Frauen können hier auch nicht alleine in die Kneipe gehen. Aber ich will mich nicht beklagen. Es geht mir gut hier. Nur in der ersten Woche lag ich einmal mit Durchfall im Bett – wegen des scharfen Essens. Und Du kennst ja meine ________________ (4) scharfem Essen ...
Abends im Bett lerne ich wie eine Verrückte Indonesisch. Ich habe die ________________ (5) einen guten Indonesischkurs aufgegeben, ich lerne jetzt alleine. Grammatik und Aussprache sind auch gar nicht so schwierig. Aber du musst immer aufpassen, wen du wie ansprichst.
Die Eindrücke sind hier so stark und so faszinierend, dass meine ________________ (6) das Reisen und mein ________________ (7) fremden Kulturen und Religionen noch gestiegen sind.
Ich schwitze hier bei fast 40 Grad und einer irren Luftfeuchtigkeit – und bei euch ist jetzt Winter. Du kannst Dir gar nicht vorstellen, wie groß meine ________________ (8) Kälte und Schnee ist. So, nun muss ich aber Schluss machen. Von meiner konkreten Arbeit berichte ich Dir ein anderes Mal.
Liebe Grüße
Antonia

KURSB D 1–

D Einmal im Leben …

16 Was wünschen sich die Leute? Wovon träumen sie? Hören und markieren Sie.

26

- ☐ Ich wäre gern Millionär. Dann könnte ich jeden Tag angeln gehen und müsste nicht in die Schule. Und wenn ich Lust auf Spaghetti hätte, müsste meine Mutter das kochen. – Wie bitte? Du tust ja gerade so, als ob ich dir nie Spaghetti machen würde.
- ☐ Ich würde gern einmal mit Boris Becker Tennis spielen. Das wäre einfach ein Traum. Das fände ich toll.
- ☐ Ich hätte gern eine eigene Firma, dann dürfte mir niemand mehr sagen, was ich tun soll.
- ☐ Ach, wenn doch nur endlich Frieden und Freiheit überall auf der Welt wäre, dann müsste niemand mehr seine Heimat verlassen und es gäbe weniger Leid auf der Erde.
- ☐ Ich hätte gern im 19. Jahrhundert gelebt und irgendetwas erfunden, das Telefon zum Beispiel oder so.
- ☐ Ich hätte gern eine Villa im Grünen mit Pool. Das wäre super.
- ☐ Wir würden gern im Lotto gewinnen. Beinahe hätte es ja schon mal geklappt, aber da hat mein Mann vergessen, den Schein abzugeben. – Das klingt gerade so, als ob das nur mein Fehler gewesen wäre. Du hättest ja auch daran denken können.
- ☐ Ich würde unheimlich gern mal mit einer Rakete zum Mond fliegen.
- *1* Wenn ich Zeit hätte, würde ich mich einfach in meinen Garten legen. Ich müsste in kein Flugzeug mehr steigen und garantiert keinen Computer mehr anschalten.

17 Lesen Sie jetzt die Aussagen von Aufgabe 16 noch einmal. Unterstreichen Sie die Verben und ergänzen Sie die Tabelle.

Konjunktiv II	Präteritum
ich, sie/er/es/man	
dürfte	durfte
	konnte
	musste
sollte	sollte
wollte	wollte

Konjunktiv II	Präteritum
ich, sie/er/es/man	
	hatte
	war
	wurde
	fand
	gab
käme	kam
wüsste	wusste

18 Was wünschen Sie sich? Wovon träumen Sie? Schreiben Sie.

19 Ergänzen Sie die Fragen und antworten Sie.

Was würden Sie machen, wenn ...

1 Sie viel Geld *gewinnen würden* _______________ *(gewinnen)?*
Ich würde erst mal eine Weltreise machen und dann vielleicht ...

2 Sie nicht _______________ *(arbeiten müssen)?*

3 Sie sich einen anderen Beruf _______________ *(aussuchen können)?*

4 Sie den Wohnungsschlüssel _______________ *(verlieren)?*

5 Sie in einer fremden Stadt ohne Adresse und Stadtplan _______________ *(ankommen)?*

6 Sie noch einmal _______________ *(heiraten können)?*

7 Sie Erfinderin oder Erfinder _______________ *(sein)?*

8 Sie Präsidentin oder Präsident des Landes _______________ *(sein)?*

9 Sie vor den Vereinten Nationen eine Rede _______________ *(halten dürfen)?*

20 Schreiben Sie Vergleichssätze mit „als ob".

1 oft trainieren / an der Olympiade teilnehmen wollen (du)
Du trainierst so oft, als ob du an der Olympiade ...

2 schön singen / Opernsängerin sein (Sie)

3 so tun / alles verstanden haben (wir)

4 den Eindruck machen / Bescheid wissen (er)

5 strahlen / im Lotto gewonnen haben (ihr)

6 sich so benehmen / hier so zu Hause sein (du)

7 aussehen (es) / uns helfen können (sie)

8 dauernd auf die Uhr schauen / gleich gehen müssen (Sie)

9 so leben sollen (man) / kein „Morgen" geben (es)

21 Ergänzen Sie.

Wenn ich Deutschlehrerin wäre, *hätte ich in Deutschland studiert* .
Wenn ich Gedanken lesen könnte, ______ .
Wenn ich mein Leben noch einmal leben dürfte, ______ .
Wenn ich so viel wie Albert Einstein wüsste, ______ .
Wenn ich früher Deutsch gelernt hätte, ______ .
Wenn ich als Kind Klavierspielen gelernt hätte, *wäre ich heute vielleicht ein berühmter Pianist.* .
Wenn es im Mittelalter schon Computer gegeben hätte, dann ______ .
Wenn ich als Vogel auf die Welt gekommen wäre, ______ .
Wenn ich …

Schreiben Sie weitere Sätze mit „wenn".

Wenn das Wörtchen „wenn" nicht wär', wär' mein Vater Millionär.

KURSBUCH D 5–D 7

22 Hören und sprechen Sie.

27

Sie sind zusammen mit Ihrem Partner Teilnehmer in einer Quizshow. Sie sind getrennt und können nicht hören, was Ihr Partner sagt. Der Quizmaster interviewt Ihren Partner und stellt Ihnen dann die gleichen Fragen. Wie gut kennen Sie Ihren Partner? Wissen Sie, was er tun würde oder getan hätte? Antworten Sie.

● *Und hier die erste Frage: Was würde Ihr Partner machen, wenn er im Lotto gewinnen würde?*

■ *Ich glaube, er* ***würde*** *erst einmal eine Schiffsreise rund um die Welt* ***machen****.*

● *Bravo! Die Antwort Ihres Partners lautet ebenfalls: Ich würde erst einmal eine Schiffsreise rund um die Welt machen. Frage Nummer 2: Was hätte Ihr Partner anders gemacht, wenn er noch einmal neu entscheiden könnte?*

■ *Ich denke, er* ***hätte*** *keine Stadtwohnung* ***gekauft*** *und wäre aufs Land* ***gezogen****.*

● *Super. Die Antwort Ihres Partners lautet ebenfalls: Ich hätte keine Stadtwohnung gekauft und wäre aufs Land gezogen. Nummer 3: …*

1 eine Schiffsreise rund um die Welt machen
2 keine Stadtwohnung kaufen und aufs Land ziehen
3 gerne Pilot sein
4 gerne 99 Jahre alt werden
5 am liebsten einen Ferrari haben
6 in ein Spielcasino gehen
7 mit dem Musiker tauschen
8 am liebsten in dem Film „Titanic" mitspielen
9 gerne einmal mit Goethe spazieren gehen
10 wieder mich heiraten

KURSBUCH E

E Der Ton macht die Musik

23 Hören Sie den Text und markieren Sie die Wortgruppen (|).

28

Längere Sätze | spricht man im Deutschen | nicht gleichmäßig | und ohne Pausen, sondern in Wortgruppen, mit kleinen Pausen dazwischen | und mit starken Akzenten.

„Ich heiße Ricardo und bin 16 Jahre alt. Ich bin hier in Berlin geboren, auch wenn ich nicht so aussehe. Meine Mutter ist Japanerin und mein Vater Bolivianer. In meiner Klasse sind von 30 Schülern nur vier Deutsche. Meine Freunde beneiden mich, weil ich mehrere Sprachen spreche. Mit meinem Bruder Deutsch, mit meiner Mutter Japanisch und mit meinem Vater Spanisch. Ich bin sehr gern bei meinen Großeltern in Japan: Das Klima ist angenehm und die Menschen sind ruhig. Mir gefallen aber auch die lauten Südamerikaner, die jeden gleich zum Freund haben. Ich möchte später mal für ein Jahr nach England, da war ich noch nie. Und die britische Lebensart, die finde ich irgendwie interessant. Aber meine Heimat, das ist Deutschland."

28 **Hören Sie noch einmal und markieren Sie die Akzentsilben (___) und die Satzakzente (___).**

Jede Wortgruppe hat einen Akzent. In längeren Sätzen und bei langsamem Sprechen gibt es deshalb mehrere Akzente. Der Satzakzent, also der Hauptakzent, ist meistens am Ende des Satzes.

24 Lesen Sie die Regel und ergänzen Sie Beispiele aus Übung 23.

! Jede Wortgruppe hat einen **Akzent**. Betont wird immer die **wichtigste Information**. Den Wortgruppen-Akzent haben deshalb oft **Inhaltswörter**, also:

Nomen	*in meiner Klasse,*
Verben	
Adjektive	
Adverbien (Ort, Zeit, ...)	*ich bin sehr gern,*

Funktionswörter (Artikel, Präpositionen, Konjunktionen, sein, haben, werden und die Modalverben) haben meistens **keinen Akzent**.

25 Hören Sie die Akzentmuster und die Beispiele. Markieren Sie die Akzentsilben.

29

•● die Welt	•●• mein Glaube	••● an mein Dorf	••●• an die Kindheit
•••● das ist die Welt	•••●•• das ist mein Elternhaus	••••●• an die erste Liebe	

26 Lesen Sie diese Wortgruppen, markieren Sie die Akzentsilben und sortieren Sie nach den Akzentmustern.

das ist die Familie ◆ meine Stadt ◆ nach Tomaten ◆ das sind meine Freunde ◆ nach frischem Fisch ◆ wo ich geboren bin ◆ mein Land ◆ nach Knoblauch ◆ wo ich lebe ◆ meine Musik ◆ nach dem Meer ◆ wo man mich kennt ◆ meine Sprache ◆ nach Sonne

30 **Hören Sie, sprechen Sie nach und vergleichen Sie.**

27 Ergänzen Sie das Gedicht, markieren Sie die Akzente und üben Sie.

Heimat ist für mich ...
Heimat ist auch ...
Heimat, das riecht (nach) / ist der Geruch (von) ...
Heimat, das schmeckt (nach) / ist der Geschmack (von) ...
Heimat ist die Erinnerung (an) ...
Heimat, das ist die Sehnsucht (nach) ...
Heimat ist da, (wo) ...
Meine Heimat, (das ist/sind) ...

Testen Sie sich!

Was ist richtig: a, b oder c? Markieren Sie bitte.

Beispiel:
- ● Wie heißen Sie?
- ■ Mein Name ______ Schneider.
  - a) hat
  - X b) ist
  - c) heißt

1 ● Kannst du mir vielleicht helfen? In dem Steckbrief von Claude Vilgrain fehlt mir noch die Angabe ______.
■ Ja, natürlich, ich glaube, er ist verheiratet.
a) zum Familienstand
b) zum Berufswunsch
c) zu den Hobbys

2 ● Warum bist du nach der Schule eigentlich als Au-pair-Junge nach Frankreich gegangen?
■ Ich wusste einfach noch nicht, was ich werden sollte und wollte erst mal ______ sammeln. Außerdem wollte ich gern Französisch lernen.
a) Auslandserfahrungen
b) Sprachkenntnisse
c) Auslandsaufenthalte

3 ● Warum empfehlen Sie jungen Leuten, für längere Zeit ins Ausland zu gehen?
■ Also, meiner Meinung nach sind Auslandsaufenthalte heutzutage für den späteren Beruf sehr wichtig, gerade für junge Leute sind sie also ______.
a) das Soll
b) ein Muss
c) der Wille

4 ● Was verbindest du mit Heimat?
■ Also, mit Heimat verbinde ich ______ der Wellen am Strand, weil meine Familie früher direkt am Meer gewohnt hat.
a) den Geschmack
b) das Geräusch
c) den Geruch

5 ● Warum findest du die doppelte Staatsangehörigkeit so wichtig?
■ Ich denke, sie ist notwendig, ______ alle Menschen die gleichen Rechte haben.
a) um
b) ohne
c) damit

6 ● Warum sind Sie damals nach Deutschland gekommen?
■ Eigentlich nur, ______ hier zu studieren, aber dann habe ich meinen späteren Mann kennengelernt.
a) damit
b) deshalb
c) um

7 ● Was denken Sie über die doppelte Staatsangehörigkeit?
■ Vor allem hoffe ich, dass meine Kinder bessere ______ haben werden, einen guten Job zu finden.
a) Rechte
b) Chancen
c) Erfahrungen

8 ● Wie stellst du dir das Haus der Kindheit vor?
■ Für mich ist das ein großes graues Haus, ______ ein bisschen unheimlich aussieht.
a) die
b) das
c) dass

9 ● Frau Müller, Sie betreuen Austauschprogramme für Jugendliche. Was machen Sie denn, wenn nur die Eltern für den Auslandsaufenthalt sind und die Jugendlichen gar keine Lust ______ so eine Reise haben?
■ Also, das ist schwierig, aber …
a) vor
b) für
c) auf

10 ● Warum träumst du von einer Weltreise?
■ Weil ich so großes Interesse ______ fremden Kulturen habe.
a) an
b) für
c) in

11 ● Du lebst jetzt schon fünf Jahre in Deutschland. Hast du nicht manchmal ______ nach Marokko?
■ Manchmal schon, aber dann sehe ich mir einfach meine mitgebrachten Fotos an.
a) Gedanken
b) Erinnerung
c) Heimweh

12 ● Wovon träumen Sie?
■ Manchmal denke ich daran, wie schön es ______, wenn ich den Winter auf einer Insel in der Südsee ______.
a) hätte – verbracht hätte
b) wäre – verbringen könnte
c) ist – verbringen kann

13 ● Was wünschst du dir für deine Zukunft?
■ Ich ______ gern einen interessanten Job.
a) würde
b) wäre
c) hätte

14 ● Du hast doch immer davon geträumt Pilot zu werden. Warum studierst du jetzt Medizin?
■ Ach, plötzlich dachte ich, dass es vielleicht doch nicht so schön ______, immer unterwegs zu sein.
a) war
b) wäre
c) hätte

15 ● Wie stellst du dir deine Zukunft vor?
■ Am liebsten würde ich später einmal als Musiker arbeiten. Aber das ist wohl nur ein ______ und nicht besonders realistisch.
a) Traum
b) Fantasie
c) Möglichkeit

Selbstkontrolle

1 Leben im Ausland

Warum gehen Menschen in ein anderes Land? Nennen Sie einige Gründe.

Ergänzen Sie die Sätze.
Ich würde gern in einem anderen Land leben, ...
um
weil
damit

2 Heimat

Was verbinden Sie mit Heimat?

Wenn Heimat ein Tier wäre, welches Tier wäre sie?

Wie finden Sie die doppelte Staatsangehörigkeit?

3 Wünsche und Träume

Was würden Sie sich wünschen, wenn Sie drei Wünsche frei hätten?

Wo und wie würden Sie am liebsten wohnen?

Wären Sie gern unsterblich? Warum (nicht)?

Ergebnis:

Ich kann ...	✔✔	✔	–
1 über Leben im Ausland sprechen: – erklären, warum Menschen ins Ausland gehen – sagen, warum ich in einem anderen Land leben würde			
2 über Heimat reden – sagen, was Heimat für mich bedeutet – über das Thema doppelte Staatsangehörigkeit diskutieren			
3 über Wünsche und Träume sprechen – Wünsche äußern – über meine Träume sprechen			
Außerdem kann ich:			
eine kleine Geschichte zu einem Foto erfinden			
eine Statistik ergänzen			

Lernwortschatz

Nomen

Angst vor die, ¨-e
Ausländer der, -
Bescheid geben + Dat
Bild das, -er
Bombe die, -n
Eintritt der *(Singular)*
Erfinderin die, -nen
Europäer der, -
Fall der, ¨-e
Fremde die/der, -n
Gefühl das, ¨-e
Geschmack der, ¨-er
Heimat die *(Singular)*
Heimweh nach das *(Singular)*
Herkunft die *(Singular)*
Industrie die, -n
Instrument das, -e
Interesse an das, -n
Kontakt der, -e
Krieg der, -e
Kultur die, -en
Lust auf die *(Singular)*
Loch das, ¨-er
Nationalität die, -en
Präsident der, -en
Rechte *(Plural)*
Schrift die, -en
Sprichwort das, ¨-er
Staatsangehörigkeit die, -en
Traum der, ¨-e
Türke der, -n
Türkin die, -nen
Ufer das, -
Verlust der, -e
Verständnis das *(Singular)*
Wohnungsschlüssel der, -

Verben

abschließen + Akk
annehmen + dass …
ausmachen + Dat
beantragen + Akk
danken + Dat + für Akk
einsteigen + in Akk
erfüllen + Dat + Akk
(es) steht geschrieben
gebrauchen + Akk
halten + Akk
halten + zu Dat
offenstehen
Schaden nehmen
sehen lernen
sich operieren lassen
stehen bleiben
umarmen + Akk
verloren gehen
vorstellen + Dat + Akk
werden + aus Dat
werfen + Akk

Adjektive

blind

frei

genial

hell

hübsch

nervös

wunderbar

wunderschön

Andere Wörter/Ausdrücke

alles in allem

als Kind

als ob

andere

auf der Welt

Auf!

besonders

(das ist) eine Frage
(der Übung)

deswegen

ein Leben lang

eine Seite nach der andern

einen Tag lang

einige

fast nie

genauso

im Gegenteil

immer weiter

in der Eile

in der Regel

kein Mensch

kürzlich

nicht mehr

nicht so gut

unterdessen

so ein Quatsch

so gut wie nichts

so viel

wieder und wieder

zurzeit

Berufe

LEKTION 4

A Arbeitsplatz: die ganze Welt

1 Was bedeuten diese „internationalen Wörter"? Ordnen Sie zu.

1	City *(f)*	a)	Personal Computer
2	checken	b)	Arbeit, Arbeitsstelle, Beruf
3	E-Mail *(f)*	c)	Hauptsitz, Zentrale einer Firma
4	Global Player *(m)*	d)	Treffen, bei dem praktisch gearbeitet wird
5	Livesendung *(f)*	e)	elektronische Post (wird mit dem Computer verschickt und empfangen)
6	Headquarter *(n)*	f)	sich ausruhen, entspannen
7	Job *(m)*	g)	Stadt(zentrum)
8	Meeting *(n)*	h)	Gruppe von Menschen, die zusammenarbeiten
9	PC *(m)*	i)	Öffentlichkeitsarbeit, Werbung
10	Team *(n)*	j)	direkt verbunden mit anderen Computern
11	Workshop *(m)*	k)	prüfen, kontrollieren
12	Public Relations (PR)	l)	Direktübertragung, Originalübertragung
13	relaxen	m)	Sitzung mit Arbeitskolleginnen und -kollegen
14	Sandwich *(n)*	n)	Firmen, die weltweit arbeiten
15	online	o)	Weißbrot oder Brötchen, belegt mit Käse, Schinken, Salat usw.

Kennen Sie weitere „internationale Wörter"? Ergänzen Sie.
Schreiben Sie Sätze mit mindestens zwei „internationalen Wörtern".

In der Pause kaufe ich mir ein Sandwich und relaxe.
...

2 Unterschiedliche Arbeitsbedingungen. Schreiben Sie das Gegenteil.

1 viel Kontakt mit Kunden haben *wenig Kontakt mit Kunden haben*
2 wenig zu tun haben ______
3 Zeit für die Familie haben ______
4 einen kurzen Weg zur Arbeit haben ______
5 spät aufstehen können ______
6 ein festes Gehalt haben ______
7 gut verdienen ______
8 nie erschöpft sein ______
9 eine interessante Arbeit haben ______
10 zufrieden mit der Arbeit sein ______

KURSBUCH A 1–A 3

3 **Telearbeitsplatz. Verbinden Sie die Sätze mit „sodass" und „so ... dass".**

1 Meine Firma ist *fortschrittlich.* – Ich kann von zu Hause aus arbeiten.
Meine Firma ist so fortschrittlich, dass ich von zu Hause aus arbeiten kann.

2 In der Regel arbeite ich vormittags. – Am Nachmittag kann ich mich um meine Kinder kümmern.
In der Regel arbeite ich vormittags, so dass ich mich am Nachmittag um meine Kinder kümmern kann.

3 Meine Arbeitszeiten sind allerdings *flexibel.* – Ich kann meine Zeit frei einteilen.
____

4 Ich habe natürlich einen E-Mail-Anschluss zu Hause und ein Handy. – Ich bin ständig erreichbar.
____

5 Meine Frau arbeitet auch halbtags. – Wir können uns die Erziehungsarbeit teilen.
____

6 Unsere Arbeit ist *optimal* organisiert. – Wir haben sehr viel Zeit für die Kinder.
____

7 Früher war das ganz anders! Ich habe ganztags im Büro gearbeitet. – Meine Frau konnte ihren Beruf nicht ausüben.
____

8 Abends war ich *erschöpft.* – Ich hatte keine Nerven mehr für die Kinder.
____

4 **Sich selbstständig machen. Ergänzen Sie die Satzverbindungen.**

sodass (2x) ◆ deshalb (2x) ◆ weil (2x) ◆ denn ◆ so ... dass

Ich habe mich entschlossen, mich selbstständig zu machen, *weil* ______ (1) ich mich überhaupt nicht mehr mit meinem Chef verstanden habe. Ich hatte lange Zeit Angst davor, ______ (2) ich habe immer gedacht, das Risiko ist zu groß. Doch nun habe ich den Schritt gewagt. Durch meine jahrelange Berufserfahrung habe ich mir nämlich viele Kontakte zu Kunden aufgebaut, ______ (3) ich nun mit eigenen Projekten ganz gut verdienen kann. Allerdings hatte ich keine Lust, so ganz alleine zu arbeiten. ______ (4) habe ich eine Kollegin gefragt, ob sie nicht auch Interesse hat, sich selbstständig zu machen. Wir sind beide sehr zufrieden mit unserer Arbeit, ______ (5) wir unsere Arbeitszeiten flexibler gestalten können. Wir haben sogar schon ______ viele Aufträge, ______ (6) wir weitere freie Mitarbeiter einstellen mussten.
Unsere Büroräume wurden zu klein, wir mussten uns ______ (7) neue Räume suchen. Mittlerweile beschäftigen wir fünf Mitarbeiter, ______ (8) wir nun tatsächlich unsere eigenen Chefs sind.

5 **Schreiben Sie die Geschichte von Petra Pechvogel.**

... sodass/deshalb ...
... weil/denn ...

1 spät aufwachen – Wecker nicht hören
2 sich beeilen müssen – keine Zeit fürs Frühstück haben
3 keinen Parkplatz finden – zu spät ins Büro kommen
4 Kaffee über wichtige Papiere schütten – alles noch einmal machen müssen
5 beim Meeting vom Chef kritisiert werden – keine guten Ideen haben
6 keine Mittagspause machen – sehr viel zu tun haben
7 sich nicht auf die Arbeit konzentrieren können – erst spät fertig werden
8 auf der Heimfahrt sehr nervös sein – einen Unfall verursachen
9 zu Hause nicht in die Wohnung kommen – den Schlüssel im Büro vergessen haben
10 in ein Restaurant essen gehen wollen – den ganzen Tag noch nichts gegessen haben
11 schon so spät sein – (die Küche) bereits geschlossen sein

1 Petra Pechvogel ist heute spät aufgewacht, weil sie den Wecker nicht gehört hat. Sie musste sich beeilen, sodass sie ...

6 **Lesen Sie die Geschichte von Gerd Glückspilz und unterstreichen Sie alle „weil" und „denn".**

Gerd Glückspilz kann heute in aller Ruhe frühstücken, weil er rechtzeitig aufgestanden ist. Er kommt pünktlich zur Arbeit, denn er hat einen Parkplatz in der Nähe des Büros gefunden. Vor dem Meeting kann er noch einen Kaffee trinken, weil er alle Papiere bereits gestern fertig gemacht hat. Beim Meeting wird er vom Chef gelobt, weil er so gute Vorschläge macht. Mittags isst Gerd Glückspilz nur einen Joghurt und einen Apfel, denn er macht eine Diät. Nachmittags checkt er noch einmal seine E-Mails – er erwartet eine Nachricht von einem wichtigen Kunden. Bingo! Heute kann er früher Feierabend machen, denn er hat den Auftrag bekommen. Weil er so früh nach Hause kommt, kann er noch zwei Stunden ins Sportstudio gehen. Das tut gut! Schon jetzt freut er sich auf einen netten Abend – um acht ist er mit seiner neuen Freundin zum Kino verabredet.

Schreiben Sie die Geschichte neu und betonen Sie jetzt die Folgen: Benutzen Sie „sodass", „so ..., dass" und „deshalb".

Gerd Glückspilz ist heute so rechtzeitig aufgestanden, dass er in aller Ruhe frühstücken kann. Er hat einen Parkplatz in der Nähe des Büros gefunden und kommt deshalb pünktlich zur Arbeit. Er hat alle Papiere ...

KURSBUCH A 2–A 3

7 **Auslandskorrespondenten berichten aus der ganzen Welt. Schreiben Sie über die Arbeit.**

Auslandskorrespondenten ...

1	aus mehreren Ländern berichten	(also)	viel reisen müssen
2	überall ein Handy dabeihaben	(sodass)	immer erreichbar sein
3	schnell über Ereignisse berichten	(deshalb)	gute Kontakte zu wichtigen Persönlichkeiten brauchen
4	die Gastländer gut kennen	(so ..., dass)	auch über Hintergründe von Ereignissen berichten können
5	nur einige Jahre an einem Ort bleiben	(deshalb)	viele Länder kennenlernen
6	oft in Livesendungen berichten	(sodass)	auch mitten in der Nacht arbeiten müssen
7	oft im Fernsehen auftreten	(so ..., dass)	im Heimatland sehr bekannt sein
8	guten Kontakt zum Heimatland brauchen	(deshalb)	regelmäßig den Sender besuchen

1 Auslandskorrespondenten berichten aus mehreren Ländern, sie müssen also viel reisen.
Sie haben überall ein Handy dabei, sodass sie ...

____

____

____

____

KURSB A 4–

B Berufe

8 **Welches sind die fünf wichtigsten Eigenschaften für diese Berufe?**

anspruchsvoll ◆ attraktiv ◆ charmant ◆ einfühlsam ◆ energisch ◆ flexibel ◆ freundlich ◆ geduldig ◆ großzügig ◆ intelligent ◆ kommunikativ ◆ konsequent ◆ kontaktfreudig ◆ kreativ ◆ offen ◆ ordentlich ◆ pünktlich ◆ selbstbewusst ◆ sorgfältig ◆ tolerant ◆ unbestechlich ◆ verständnisvoll ◆ zuverlässig

Kfz-Mechaniker: _______________________________

____

Krankenschwester: _______________________________

____

Friseur: _______________________________

____

Sekretärin: _______________________________

____

Die Endungen „-ant", „-ent", „-am" und „-iv" bei Adjektiven und Nomen haben meistens den Wortakzent.
Aber: Der Wortakzent ist am Anfang bei: *positiv*, *negativ* und bei „Grammatikwörtern" wie *Adjektiv*, *Akkusativ*, *Infinitiv* ...

KURSB B 1–

9 Ergänzen Sie die Ausdrücke mit „des" oder „der" und das Genitiv-„(e)s", wenn nötig.

1 zu Beginn _des_ Berufsleben_s_

2 im Laufe ______ Zeit___

3 ein Teil ______ Geld___

4 am Anfang ______ Ausbildung___

5 zehn Prozent ______ Deutschen___

6 am Ende ______ Jahr___

7 unter Berücksichtigung ______ Fähigkeiten___

8 als Mitglied ______ Gewerkschaft___

10 Ergänzen Sie den Genitiv.

1 Die Stelle _des_ Geschäftsführer_s_ wird neu besetzt. Zu den wichtigsten Fähigkeiten ein___ Geschäftsführer___ gehört der Umgang mit Menschen. Es ist nicht nur eine Sache de___ Training___.

2 Bei uns arbeitet der Geschäftsführer auch im Bereich de___ Marketing___. Grundbedingung de___ Zusammenarbeit___ ist das Vertrauen in seine Fähigkeiten.

3 Im Bewerbungsgespräch spielt die Persönlichkeit de___ Bewerber___ eine große Rolle. Die Bewertung de___ Vorstellungsgespräch___ ist oft sehr subjektiv.

4 Der Erfolg de___ Bewerbungen___ hängt von verschiedenen Aspekten ab. Wichtig sind heutzutage sicherlich die Kenntnisse verschiedene___ Fremdsprachen___.

11 Schreiben Sie die Namen im Genitiv.

1 *Der neue Job von Andrea* ist sehr anspruchsvoll.

Andreas neuer Job ist sehr anspruchsvoll.

2 *Die Fremdsprachenkenntnisse von Valeska* sind sehr gut.

____

3 *Das Vorstellungsgespräch von Günter* lief recht gut.

____

4 *Der Lebenslauf von Heidrun Heinrich* ist sehr interessant.

____

5 Die Chefin hat *die Fähigkeiten von Frank* erkannt.

____

Genitiv bei Namen
Andreas Talent
Andrea Bergmanns Talent
das Talent von Andrea Bergmann

12 Wer hat die besten Chancen? Ergänzen Sie die Aussagen der Chefs.

1 Anke Maruschka, HP Employment Hewlett-Packard
„Bei uns sind persönliches Profil, Neugier, Eigeninitiative und ausgeprägte Motivation gefragt. Einsteiger müssen ihre schulischen Leistungen kurz und knackig zusammenfassen und wegen ________________ *(die Erreichbarkeit)* möglichst alle Medien – Anrufbeantworter, E-Mail, Handy – benutzen. Die Zeit ________________ *(die Bewerbungsmappen)* ist vorbei – wir bevorzugen die Internet-Bewerbung."

2 Barbara Loose, Personalleiterin im Kempinski Hotel Elephant (Weimar)
„Es gibt nichts Schlimmeres als ‚gesichtslose' Hotelmitarbeiter. Ich achte deshalb vor allem auf die Persönlichkeit und die Ausstrahlung ________________ *(der Bewerber)* oder ________________ *(die Bewerberin)*. Die nötigen Qualifikationen sind dann eine Sache ________________ *(das Training)*."

3 Petra Roth, Oberbürgermeisterin der Stadt Frankfurt am Main
„Bei uns in der Verwaltung gilt das Leitbild ________________ *(der ‚Teamplayer')* mit großer Leistungsbereitschaft und ausgeprägtem Servicebewusstsein. Die Stadt Frankfurt sucht dynamische Mitarbeiterinnen und Mitarbeiter, die flexibel und lernbereit sind und offen für die Wünsche ________________ *(die Bürger)*."

4 Anja Zapka-Volkmann, Personaldirektorin bei Lancaster/Coty
„Wir brauchen in erster Linie flexible und entscheidungsfreudige Mitarbeiter. Fremdsprachen sind ein Muss – Stichwort Globalisierung. Wer die Zeit ________________ *(die Ausbildung)* kurz gehalten hat, hat beim Einstieg bei uns bessere Chancen. Wichtig für den Erfolg ________________ *(Bewerbungen)* sind übrigens nach wie vor vernünftige Bewerbungsunterlagen."

5 Dr. Ihno Schneevoigt, Personalvorstand der Allianz Versicherung
„Wir wünschen uns Mitarbeiter, die auf andere Menschen zugehen und sie für sich gewinnen können. Ideale Einsteiger sollten Probleme und Fragen ________________ *(der Gesprächspartner)* in ihre Überlegungen aufnehmen und sich konzentriert und knapp ausdrücken können. Für die Bewertung ________________ *(das Vorstellungsgespräch)* mitentscheidend ist also, ob jemand gut zuhören und Fragen konkret beantworten kann."

6 Dr. Susanne Pennella, Human Resources, Procter & Gamble
„Der Wert ________________ *(Fachkenntnisse)* ist begrenzt. Es ist mir egal, wer wo was studiert hat – ich will nur wissen, warum und mit welchem Erfolg."

KURSB
B 4–

C Arbeiten bis zum Umfallen

13 Bei mir ist das anders! Verneinen Sie die Sätze mit „brauchen + nicht" + Infinitiv mit „zu".

Bei mir ist das anders.

1 Ich muss jeden Morgen früh aufstehen.
Bei mir ist das anders. Ich brauche nicht jeden Morgen früh aufzustehen.

2 Ich muss pünktlich zur Arbeit erscheinen.
Bei mir ist das anders. ______________________

3 Ich muss meinem Chef jeden Tag Kaffee kochen.
Bei mir ist das anders. ______________________.

4 Ich muss mein Büro mit mehreren Arbeitskollegen teilen.
Bei mir ist das anders. ______________________.

5 Ich muss den ganzen Tag die Reklamationen der Kunden bearbeiten.
Bei mir ist das anders. ______________________.

6 Ich muss ständig meine Mittagspause ausfallen lassen.
Bei mir ist das anders. ______________________.

7 Ich muss abends regelmäßig eine Tablette gegen Kopfweh nehmen, um einzuschlafen.
Bei mir ist das anders. ______________________.

14 Hören und schreiben Sie.

31

Ihre Bekannte beklagt sich über den vielen Stress. Beruhigen Sie sie und geben Sie Ratschläge.

- *Oh Gott, ich habe vielleicht einen Stress. Schon morgens geht's los: aufstehen, waschen, anziehen, dann die Kinder wecken und anziehen …*
  - ■ *Mach' dich doch nicht verrückt. Du **brauchst** doch die Kinder **nicht** an**zu**ziehen.*
- *Ich brauche die Kinder nicht anzuziehen? Na ja, vielleicht hast du ja recht, sie sind ja alt genug. … Dann Frühstück machen: frische Brötchen, Eier, Schinken, Käse, Kaffee, Kakao …*
  - ■ *Warum machst du dir denn so viel Arbeit? Du **brauchst** doch **nur** Müsli hin**zu**stellen.*
- *Ich brauche nur Müsli hinzustellen? Stimmt eigentlich, viel Zeit fürs Frühstück bleibt ja sowieso nicht. Dann noch schnell das Geschirr abwaschen – das hasse ich vielleicht …*
  - ■ *Das ist doch ganz einfach: Du **brauchst** halt eine Spülmaschine.*

1 die Kinder anziehen	6 einen neuen Job	9 die Hausaufgaben immer kontrollieren
2 Müsli hinstellen	7 jeden Tag kochen	10 einen Babysitter
3 eine Spülmaschine	8 nur einmal pro Woche putzen	11 manchmal etwas Hilfe
4 die Kinder zur Schule bringen		12 nur anrufen
5 ein Auto		

D Der Ton macht die Musik

15 Hören Sie, sprechen Sie nach und vergleichen Sie.

32–33

In deutschen Wörtern gibt es oft mehrere Konsonanten hintereinander, z.B. *pünktlich* [ŋktl] oder *Arbeitsplatz* [tspl]. Man spricht alle diese Konsonanten **direkt hintereinander** und ergänzt **keine Zwischenvokale**. Es heißt also ... Bei Komposita und Vor- oder Nachsilben gibt es oft viele Konsonanten hintereinander.

lpst	se**lbst**	**lpstb**	se**lbstb**ewusst	**lpstf**	se**lbstv**erständlich
ʃpr	**Spr**ache	**sʃpr**	Au**sspr**ache	**mtʃpr**	Fre**mdspr**ache
ʃtr	**Str**ess	**tʃtr**	Freizei**tstr**ess	**ksʃtr**	Allta**gsstr**ess
ŋkt	Pu**nkt**	**ŋktl**	pü**nktl**ich	**ŋkts**	Pu**nktz**ahl
pf	Ko**pf**	**pfl**	ko**pfl**os	**pfʃm**	Ko**pfschm**erzen
çt	Re**cht**	**çts**	re**chts**	**çtʃr**	Re**chtschr**eibung
ks	E**x**amen	**ksp**	E**xp**eriment	**kstr**	e**xtr**a

16 Welches Wort hören Sie zweimal? Markieren Sie.

34

1	sprichst	spricht	7	Nacht	nachts
2	günstig	künstlich	8	schenkst	Schecks
3	gründlich	pünktlich	9	selbst an	seltsam
4	Schreibtisch	Zeitschrift	10	komplett	konkret
5	sechs	Text	11	empfiehlt	enthielt
6	Ausdruck	Ausflug	12	mach mal	manchmal

17 Hören Sie und ergänzen Sie die fehlenden Konsonanten.

35

a__e_____u___eich	A_____eiben	A__ei_____atz	a______u_____oll
Au__i__u____eruf	Au_____ahlung	Beru___e___e__ive	Bewe__u____appe
e_____eidu_____eudig	Ha___a____ob	Li____ild	Schula______uss
Spra_____e____isse	Staa____ie____	Wi_____a_____eig	

18 Üben Sie zu zweit.

manchmal singen – oft ◆ Fremdsprachen sprechen – sechs ◆ oft mit den Kindern schimpfen – ständig ◆ täglich Milch trinken – fast ausschließlich ◆ gerne basteln/kochen – leidenschaftlich gerne ◆ viel rauchen/qualmen – ständig ◆ oft Geschenke erhalten – dauernd

Singst du manchmal?
Nein, aber mein Wohnungsnachbar singt oft.

Ich singe oft. Singst du auch manchmal?
Ja, aber ich denke, du singst mehr als ich.

19 Lesen und üben Sie.

36–38

Keine Startprobleme
Entscheidungsfreudige Schulabgänger
mit perfekten Fremdsprachenkenntnissen,
selbstbewusster Ausstrahlung und
ausgeprägter Leistungsbereitschaft,
ohne Rechtschreibschwächen,
Ausdrucksschwierigkeiten
und Persönlichkeitsprobleme
finden langfristige Berufsperspektiven
in verschiedenen Wirtschaftszweigen,
in abwechslungsreichen
Ausbildungsberufen
und anspruchsvollen Aushilfsjobs.

Perfekte Bewerbungsschreiben
Anschreiben ohne Rechtschreibfehler
Bewerbungsmappe mit Lebenslauf
komplett mit Lichtbild und Abschlusszeugnis
und selbstverständlich: Briefmarke drauf!

Doppeljobber
Hauptberuf Staatsdienst Schutzpolizei
Zusatzjob Schichtdienst Sicherheitskraft
Berufsstress Freizeitstress
Schlafstörungen Kopfschmerzen
Gesundheitszustand: geschafft!

E

Bewerbungen

20 **Bringen Sie die Sätze in die richtige Reihenfolge und lesen Sie die Tipps zum Schreiben einer Bewerbung.**

1 **Absender:**
E-Mail-Adresse an / Adresse, Telefonnummer und / Geben Sie Ihre.

____

2 **Anschrift und Anrede:**
der Firma / Achten Sie auf / den genauen Namen.

____

Ansprechpartnerin oder einen Ansprechpartner / in der Anschrift und in der Anrede eine / Nennen Sie.

____

Schreiben / „Sehr geehrte Damen / Sie sonst / und Herren".

____

3 **Betreff-Zeile:**
und den Bezug (Anzeige mit Datum) / den Anlass (Bewerbung) / Schreiben Sie kurz und deutlich.

____

4 **Einstieg:**
warum Sie sich für diese Stelle interessieren / gleich nach dem ersten Satz, / Schreiben Sie.

____

5 **Überleitung:**
Schreiben Sie, / wann Sie die Arbeit beginnen können / was Sie zurzeit machen und.

____

6 **Erläuterung:**
Schreiben Sie, / sind / für die Stelle geeignet / warum Sie.

____

Interessen mit Bezug zum Job / möglichst konkret Ihre Fähigkeiten und / Benennen Sie.

____

7 **Schluss-Satz:**
Vorstellungsgespräch / eine Einladung zum / Bitten Sie um.

____

und an der Stelle haben / Sie noch einmal, / Schreiben / dass Sie Interesse an der Firma.

____

8 **Grußformel und Unterschrift:**
Grußformel „Mit freundlichen Grüßen" / Benutzen Sie / die neutrale.
sollte so sein, / dass man sie lesen kann / Ihre Unterschrift.

____

9 **Anlagen-Hinweise:**
auf die Anlagen hin / Weisen Sie zum Schluss.
Foto, Lebenslauf und Zeugnisse / Wenn / ordentlich in einem Hefter sortiert sind, / der Hinweis „Bewerbungsunterlagen" / reicht.

____

Formulieren Sie klar und konkret.
und keine ungenauen Angaben wie „ein bisschen", „ganz gut", „vielleicht" oder „eigentlich" / Benutzen / keine umgangssprachlichen Wörter wie „toll" oder „super" / Sie keine Abkürzungen,.

____

21 **Ergänzen Sie die Überschriften und unterstreichen Sie die zusätzlichen Informationen im Text.**

Absender

Tobias Berger
Rheinstraße 76
65185 Wiesbaden
Tel.: 06 11 / 37 00 77

Anschrift

Global Telecommunication GmbH

Frau Dr. Marita Evermann
Frankfurter Ring 88

60899 Eschborn

25. Januar 2006

Ihre Anzeige in der „FAZ" vom 24. 1. 2006: Ausbildung zum Industriekaufmann

Anrede

Sehr geehrte Frau Dr. Evermann,

ich habe Ihre Anzeige in der „FAZ" gelesen und bewerbe mich als Auszubildender bei Ihnen. Mich interessiert neben Sprachen und Computertechnik ganz besonders der Telekommunikationsmarkt. Eine Ausbildung bei Global Telecommunication halte ich für interessant und lehrreich, weil Sie mir als internationales, technisch orientiertes Unternehmen viele Möglichkeiten bieten, meine Sprach- und Computerkenntnisse anzuwenden und auszubauen.

Ich besuche zurzeit noch das Elly-Heuss-Gymnasium in Wiesbaden und stehe gerade vor dem Abitur. Einen Ausbildungsplatz suche ich zum 1. August 2006.

In den letzten drei Jahren habe ich Praktika in verschiedenen Firmen absolviert. Ganz besonders interessant fand ich das Praktikum bei Interkom in Wiesbaden, die ebenfalls als Netzwerkbetreiber arbeiten und wo ich einen guten Überblick über die Arbeit im Bereich Kundenbetreuung erhalten habe. Mir hat der Kontakt mit Kunden gut gefallen, und ich habe nach ein paar Tagen eigenständige Kundengespräche führen dürfen. Dort konnte ich meine Sprachkenntnisse (Englisch und Französisch) anwenden.

Meine Bewerbungsunterlagen füge ich diesem Brief bei. Bitte laden Sie mich zu einem Vorstellungsgespräch ein, denn ich bin an einem Ausbildungsplatz in Ihrem Unternehmen interessiert.

Mit freundlichen Grüßen
Tobias Berger
Tobias Berger

Anlagen:
Bewerbungsunterlagen

Schreiben Sie eine Bewerbung.

Zurzeit / Seit ... bin ich als ...
bei ... in ... tätig.
Ich möchte mich beruflich
verändern, weil ...

22 **Chaotische Bewerbung. Bringen Sie die Bewerbung in eine sinnvolle Reihenfolge.**

Die Ausstellungs- und Messe GmbH des Börsenvereins des deutschen Buchhandels – Frankfurter Buchmesse – sucht für ihre Projektgruppe „Europa" in der Internationalen Abteilung zum nächstmöglichen Termin einen/e

Projektmitarbeiter/in

Sie verfügen über ein großes Organisationstalent, sind sehr kontaktfreudig und international engagiert. Sie beherrschen mehrere Fremdsprachen (möglichst Englisch und Französisch), kennen die europäische Buchbranche und die Wirtschafts- und Kulturpolitik der Europäischen Union.

Bewerbungsunterlagen bitte an Herrn Günther Kohl, Ausstellungs- und Messe GmbH, Postfach 10574, 60001 Frankfurt/Main

Marlies Stein
Grubenweg 12
60089 Frankfurt
Tel.: 0 69/75 94 73

Ausstellungs- und Messe GmbH
z. H. Herrn Kohl
Postfach 1 05 74
60001 Frankfurt/Main

Frankfurt, den 18. 07. …

Ihre Anzeige in der FAZ vom 16. 07. …: Projektmitarbeiter/in

Sehr geehrter Herr Kohl,

Ihre Stelle ist für mich von großem Interesse und ich würde mich über die Möglichkeit, mich persönlich bei Ihnen vorstellen zu dürfen, sehr freuen.

1 *Mit großem Interesse las ich Ihre Anzeige in der FAZ und möchte mich als Projektmitarbeiterin für Ihr Team bewerben. Das international ausgerichtete Arbeitsfeld und die Verbindung von Wirtschaft und Kultur auf europäischer Ebene sowie die Organisation von Messen und Ausstellungen entsprechen genau meinen Interessen und beruflichem Werdegang.*

Aufgrund meines Studiums der Sprach- und Politikwissenschaft und des Aufbaustudiums in Volkswirtschaft mit Schwerpunkt „Europäische Wirtschaft" verfüge ich sowohl über ausgezeichnete Fremdsprachenkenntnisse als auch über ein fundiertes Wissen im Bereich der europäischen Wirtschafts- und Kulturpolitik. Meine Tätigkeit als Assistentin der Geschäftsleitung erfordert ein hohes Maß an Organisationstalent und kommunikativen Fähigkeiten.

Zurzeit arbeite ich als Assistentin der Geschäftsleitung in einem führenden europäischen Unternehmen.

Mit freundlichen Grüßen

Marlies Stein

Anlagen: Bewerbungsunterlagen

KURSBUCH F 1–F 2

F Zwischen den Zeilen

23 **„also" oder „nämlich"? Ergänzen Sie.**

1. Seit gestern bin ich ein neuer Mensch! – Du hast *also* ______ tatsächlich eine Zusage bekommen?
2. Ich habe heute keine Zeit, ich muss ______ Bewerbungen schreiben. – Na, dann viel Glück!
3. Wie bist du eigentlich zu deinem Job gekommen? – Ich habe eine Blindbewerbung geschickt. – Aha, ______ einfach so, ohne dass die Stelle ausgeschrieben war? – Ja, genau.
4. Na, wie ist dein Vorstellungsgespräch gelaufen? – Eigentlich ganz gut, die haben viel über die Firma erzählt, ich musste ______ gar nicht so viel reden.
5. Erzählen Sie uns doch etwas über Ihren beruflichen Werdegang. – ______, eigentlich wollte ich ja Schauspieler werden, aber dann …
6. Morgens gehe ich immer als Erstes zum Briefkasten. Die Antwort auf meine Bewerbung müsste ______ bald kommen.

KURSBUCH F 3

24 Welche Nomen verstecken sich in diesen Adjektiven?

abwechslungsreich	*die Abwechslung*	ideenreich	
alkoholfrei		kalorienreich	
autofrei		konfliktfrei	
erfolgreich		kontaktarm	
fantasiearm		niederschlagsfrei	
fettarm		traditionsreich	
gebührenfrei		umfangreich	
hilfreich		vitaminreich	

Unterstreichen Sie die Endungen der Adjektive.

Die Zusätze „-reich", „-arm" und „-frei" machen aus Nomen Adjektive.
-reich = viel/groß
-arm = wenig
-frei = ohne

Vorsicht: Die Zusätze können nicht beliebig ausgetauscht werden! Die gebräuchlichsten Kombinationen finden Sie im Wörterbuch, beim Nomen oder als eigenen Eintrag.

25 Ergänzen Sie die Stellenangebote und Kleinanzeigen.

Sie sind ein ______________ Macher

(viel Erfolg), weder ______________ *(wenig Kontakt)* noch *fantasielos* *(ohne Fantasie)* und suchen einen ______________ Job *(viel Abwechslung)* in angenehmer, ______________ Arbeitsatmosphäre *(ohne Konflikte)*. Wir sind eine ______________ PR-Agentur *(großer Einfluss)* und suchen ______________ Kreative *(viele Ideen)* zur Betreuung unserer ______________ namhaften Kunden *(große Zahl)*. Nehmen Sie Kontakt über unsere Hotline auf – Ihr Anruf ist ______________ *(ohne Gebühren)*.

Kellner/in gesucht

für ______________ Restaurant *(lange Tradition)*, bekannt für seine ______________ Küche *(viel Abwechslung)* und sein ______________ Weinsortiment *(großer Umfang)*. ______________ Gäste *(große Zahl)* aus dem Ausland, Fremdsprachenkenntnisse sind deshalb ______________ *(große Hilfe)*. Tel. ...

Sie leiden an Stress und Schlaflosigkeit?

Sie essen zu fett und zu ______________ *(viele Kalorien)*? Sie sehnen sich nach Ruhe und Erholung? Bei uns können Sie sich so richtig entspannen! Wir verwöhnen Sie mit gesunder, ______________, ______________ und ______________ Kost *(wenig Fett, wenig Kalorien, viele Vitamine)* und leckeren, aber ______________ Drinks *(ohne Alkohol)*. Sie genießen die ruhige und ______________ Atmosphäre *(kein Stress)* in einer garantiert ______________ Gegend *(wenig Niederschlag)* auf einer kleinen, ______________ Insel *(ohne Autos)* in der Karibik. Fordern Sie unseren Prospekt an unter ...

Testen Sie sich!

Was ist richtig: a, b oder c? Markieren Sie bitte.

Beispiel:
- ● Wie heißen Sie?
- ■ Mein Name ________ Schneider.
  - a) hat
  - X b) ist
  - c) heißt

1 ● Wie gefallen Ihnen denn die ________________ in der neuen Firma?
■ Leider nicht so gut. Ich kann mich noch immer nicht daran gewöhnen, in einem Großraumbüro zu arbeiten.
- a) Stellenangebote
- b) Arbeitsbedingungen
- c) Arbeitszeiten

2 ● Wie ist denn dein neuer Job?
■ Manchmal ist es ______ interessant, ________ ich abends gar nicht nach Hause gehen möchte.
- a) so – dass
- b) so – damit
- c) um – zu

3 ● Kannst du dein Handy heute Abend nicht mal zu Hause lassen?
■ Nein, ich muss das jetzt überall dabeihaben, ________ ich für meinen Chef immer erreichbar bin.
- a) weil
- b) deshalb
- c) sodass

4 ● Was sind denn die Vorteile Ihres Berufs?
■ Besonders positiv finde ich, dass ich als Reiseleiter __________ der Arbeitszeit meinem Hobby nachgehen kann. Ich reise nämlich sehr gerne.
- a) während
- b) außerhalb
- c) wegen

5 ● Was gefällt Ihnen nicht so gut an Ihrer Arbeit als Polizistin?
■ Ich finde es schade, dass ich wegen ____________ ________ wenig Zeit für meine Freunde habe.
- a) der Schichtdienst
- b) den Schichtdienst
- c) des Schichtdienstes

6 ● Warum haben Sie sich entschieden, Lehrer zu werden?
■ Der Beruf ____________ war schon immer mein Traum, denn ich wollte gern mit vielen Menschen zusammenarbeiten.
- a) dem Lehrer
- b) des Lehrers
- c) den Lehrern

7 ● Was erwarten Sie als Chef von Ihren Auszubildenden?
■ Besonders wichtig finde ich ______________. Ich muss einfach sicher sein können, dass die Arbeit erledigt wird, auch wenn ich mal nicht da bin.
- a) Freundlichkeit
- b) Zuverlässigkeit
- c) Toleranz

8 ● Bleibt von dem Geld bei deinem Nebenjob eigentlich noch viel übrig, wenn du Steuern gezahlt hast?
■ Unter uns gesagt, ist das zum Glück kein Problem, ich arbeite __________. Das darf natürlich niemand wissen …
- a) grün
- b) blau
- c) schwarz

9 ● Seit wann hast du eigentlich diesen Nebenjob?
■ Schon seit drei Jahren. Ich ________ das Geld, um über die Runden zu kommen.
- a) brauche
- b) muss
- c) will

10 ● War es schwer für Sie, einen neuen Job zu finden?
■ Eigentlich nicht, ich ________ nur die Stellenanzeigen in der Zeitung _______ lesen und da war dann gleich etwas Interessantes dabei.
- a) wollte – zu
- b) brauchte – zu
- c) musste – zu

11 ● Wie suchst du denn nach einem neuen Job?
■ Ich lese vor allem die __________ in der Zeitung.
- a) Stellengesuche
- b) Stellenangebote
- c) Kontaktanzeigen

12 ● Kannst du mir sagen, welche Informationen an den Anfang eines Lebenslaufes gehören?
■ Ja, ich glaube zuerst stehen da die ________________ ________________.
- a) Interessen
- b) persönlichen Daten
- c) Berufserfahrungen

13 ● Wie sieht eigentlich ein gutes Bewerbungsschreiben aus?
■ Also, oben links muss als Erstes ________________ stehen, damit der Empfänger gleich sehen kann, von wem die Bewerbung kommt.
- a) die Anrede
- b) die Anschrift
- c) der Absender

14 ● Könnten Sie Ihre Firma bitte etwas näher beschreiben?
■ Wir sind ein Familienunternehmen, schon mein Großvater hat hier gearbeitet, wir sind also ein sehr ________________ Betrieb.
- a) traditionsreicher
- b) traditionsloser
- c) traditionsarmer

15 ● Guten Tag. Ich rufe wegen Ihrer Anzeige an. Suchen Sie noch immer eine Verkäuferin?
■ Ja, die Stelle ist noch frei. Sie können uns ________ gerne Ihre Bewerbungsunterlagen schicken.
- a) nämlich
- b) also
- c) aber

Selbstkontrolle

1 Arbeitsbedingungen

Welche Bedingungen wünschen Sie sich für Ihren Job? Zeiten? Freizeit?

Was brauchen Sie an Ihrem Arbeitsplatz? So viel Licht, dass ...

2 Berufe

Welche Berufe finden Sie interessant?

Warum haben manche Menschen zwei Jobs?

3 Bewerbungen

Was gehört in eine Bewerbungsmappe?

Sie sind Chef/Chefin: Welche Eigenschaften eines Bewerbers sind Ihnen wichtig?

Ergebnis:

Ich kann ...	✔✔	✔	–
1 über Arbeitsplätze und Arbeitsbedingungen sprechen – sagen, ob jemand selbstständig, im Team, in Teilzeit ... arbeitet – beschreiben, wie Arbeitsplätze, Freizeitmöglichkeiten, Gehälter sind			
2 über Berufe sprechen – sagen, welche Vor- und Nachteile Berufe haben – beschreiben, welche Eigenschaften man für einen Beruf braucht			
3 mich bewerben – Stellenanzeigen lesen – meinen Lebenslauf schreiben – eine Bewerbung schreiben			
Außerdem kann ich:			
internationale Ausdrücke aus der Berufswelt benutzen			
über meinen Traumjob sprechen			
Ratschläge geben			

Lernwortschatz

Nomen

Angaben + zu Dat
Arbeitnehmer der, -
Arbeitsamt das, ¨er
Arbeitsplatz der, ¨e
Ausgleich der *(Singular)*
Aushilfe die, -n
Beamte der, -(n)
Bedienung die *(Singular)*
Beginn der *(Singular)*
Beschäftigte die/der, -(n)
Bohne die, -n
Bürger der, -
Daten *(Plural)*
Dienst der *(Singular)*
Eintrittskarte die, -n
Enge die *(Singular)*
Entfernung die, -en
Euro der, -(s)
Feierabend der *(Singular)*
Ferien *(Plural)*
Frisör der, -e
Gehalt das, ¨er
Grundschule die, -n
Hauptberuf der, -e
Informatik die *(Singular)*
Institut das, -e
Internet das *(Singular)*
Kaffeemaschine die, -n
Kauffrau die, -en
Kenntnisse *(Plural)*

Kfz = Kraftfahrzeug das, -e
Kleinanzeige die, -n
Kommunikation die *(Singular)*
Kopie die, -n
Krankenschwester die, -n
Leitung die *(Singular)*
Motor der, -en
Physik die *(Singular)*
Polizei die *(Singular)*
Rechnung die, -en
Reparatur die, -en
Richtung die, -en
Runde die, -n
Rundschau die *(Singular)*
Schere die, -n
Schmerz der, -en
Sekunde die, -n
Star der, -s
Stellengesuch das, -e
Stellung die, -en
Tankstelle die, -n
Teilzeit (die) *(Singular)*
Verantwortung die *(Singular)*
Vertreter der, -
Vollzeit (die) *(Singular)*
Voraussetzung die, -en
Zeugnis das, -se

Verben

angemeldet (→ anmelden)
ausfüllen + Akk
bringen + Akk + zu Dat / + dazu + zu Infinitiv
erfahren (→ erfahren)
gestohlen (→ stehlen)
lachen
legen + Akk
leiten + Akk
prüfen + Akk
schwimmen gehen
sich bewerben + für Akk
sich zurückerinnern
stecken + Sit
verlangen + Akk
wachsen

Adjektive

ambulant
ausländ. = ausländisch
fest
festes Gehalt
fleißig
gefragt sein
netto
selbstverständlich
stundenweise
technisch

Andere Wörter/Ausdrücke

als + Person/Beruf
darf ich fragen
ebenso
ein paar Stunden
eine Zeit lang
etwas ganz anderes
eventuell
Fa. = Firma die, -en
fast jeden Tag
frühmorgens
gut zwei Stunden
im Laufe der Zeit
immer mehr
immer öfter
innerhalb + Gen
knapp fünfzig Leute
mehrere Jahre
meist
nebenbei
persönliche Daten
pro Tag
pro Woche
Punkt 18 Uhr
schwarzarbeiten
sodass
Schritt für Schritt
seit + Dat
so oft
sobald
um Erlaubnis fragen + Akk
viel zu wenig
viermal im Jahr
von überall
vor zwei Jahren
vorn
zeitlich begrenzt
zu Beginn
zur selben Zeit

Lösungsschlüssel

Lektion 1

A

1 **persönliche Eigenschaften:** ehrlich (+), anspruchsvoll (+), charmant (+), energisch (+), erfolgreich (+), fantasievoll (+), optimistisch (+), gefühlvoll (+), humorvoll (+), intelligent (+), lebenslustig (+), lieb (+), niveauvoll (+), romantisch (o), selbstbewusst (+), tolerant (+), treu (+)
beides: langweilig (-)
Aussehen: blond (o), dunkelhaarig (o), gut aussehend (+), hübsch (+), schlank (+) (Lösungsvorschlag)

2 aktiv, attraktiv, ehrlich, häuslich, leidenschaftlich, naturverbunden, natürlich, offen, schön, sensibel, seriös, sportlich, unkompliziert, zärtlich, zuverlässig

3 **2** verschlossen, **3** hässlich, **4** dumm, **5** faul, **6** dick, **7** böse, **8** unsicher, **9** pessimistisch, **10** dunkelhaarig

4 **2** dich, **3** dich, **4** mich, **5** mich, **6** sich, **7** sich, **8** sich, **9** sich, **10** dich, **11** sich, **12** uns

5 **2** Sie ärgert sich immer, **3** sich wieder zu verlieben. **4** kann sich einfach nicht von ihm trennen. **5** dass er sich nicht mehr verändert. **6** entschuldigt sich jedes Mal für sein Verhalten. **7** dass er sich perfekt um den Haushalt kümmert. **8** hat sie sich schon an ihn gewöhnt.

6 dich ... verändert, dich ... geärgert, amüsierst ... dich, kümmerst dich, mich nie beklagt, Erinnerst du dich, uns ... gefreut, mich ... erholt, sich ... gesetzt, dich ... interessiert, euch wohlgefühlt, dich ... entschuldigt, mich entschieden

7 **2** über, **3** um, **4** für, **5** von, **6** bei, **7** für, **8** an

9 **1** Aus Spaß wird Ernst, **2** Familienfeste – kein Grund zur Freude, **3** Liebe – nicht mehr als ein Geschäft?, **4** Ehrlichkeit ist wichtig

10 **1** c, **2** a, **3** b, **4** b

B

11 **2** die Stelle eines Universitätsprofessors, **3** das stimmt meistens oder immer, **4** das passiert selten, **5** passend, **6** das eigene Leben, **7** der Ort, wo man lebt und arbeitet, wichtige Menschen (Familie, Freunde, Bekannte, Kollegen), gute und schlechte Vorbilder

12 *vgl. Hörtext Nr. 2*

C

15 freuen + sich + über (AKK), entschuldigen + sich + bei (DAT), entschuldigen + sich + für (AKK), bedanken + sich + bei (DAT), bedanken + sich + für (AKK)

16 **1** über, **2** freust, **3** bei ... bedankst, **4** auf, **5** freust, **6** bei, **7** entschuldigen, **8** freust, **9** freust, **10** freue, **11** auf, **12** freue, **13** über, **14** bei, **15** für, **16** bedankt, **17** über, **18** über, **19** freut, **20** für, **21** entschuldige

D

17 **sie/ihr:** **2** ihr, **3** ihr, **4** ihr, **5** sie, **6** sie, **7** sie
mich/mir: **2** mir, **3** mir, **4** mir, **5** mir, **6** mich, **7** mich

18 **2** der ein Segelboot an der Adria hat, **3** die von einem kleinen Garten träumt, **4** die laut und schön unter der Dusche singt, **5** die jeden Tag mit mir auf den Spielplatz gehen, **6** die sich nie streiten, **7** die mir wichtiger sind als mein Gameboy

19 **1** den ich kritisieren darf. **2** die ich täglich sehen kann. **3** die ich immer um Rat fragen kann. **4** die ich schon sehr lange kenne. **5** die ich täglich anrufen kann.

20 **1** dem ich sofort mein neues Auto geben würde. **2** dem auch meine Hobbys gefallen. **3** der ich alle meine Träume anvertrauen kann. **4** der ich Liebesgedichte schreibe. **5** denen ich gern meine neuen Computerspiele leihe.

21 **1** mit dem ich in ferne Länder reise. **2** von dem ich schöne Geschenke bekomme. **3** mit der ich romantische Stunden verbringen möchte. **4** mit der ich mich jeden Tag treffe. **5** auf die ich nie wütend bin. **6** das, dem

22 **1** die, der, der, die, die **2** der, den, dem, den, dem **3** die, denen, die, die, die, denen

24 *vgl. Hörtext Nr. 4*

E

25 **2** annehmen, **3** besichtigen, **4** feiern, **5** gratulieren, **6** bekommen, **7** zusagen, **8** bedanken, **9** holt ab

26 **2** ein Examen, **3** den Geburtstag, **4** ein Geschenk, **5** die Gäste, **6** dem Gastgeber, **7** ein Jubiläum, **8** eine Einladung

27 **2** uns, **3** mir, **4** sich, **5** sich, **6** sich, **7** dir, **8** euch

28 **2** ... möchten **uns** gerne ... **3** ... ihr **euch** denn ... **4** ... er **sich** eigentlich ... **5** ... würde **mir** am liebsten ... **6** ... du **dir** schon ... **7** ... du **dir** die ... , ... ich **mir** die ... **8** ... die **sich** das ...

29 **1** mich, mich, dich, sich **2** euch, uns **3** sich, sich **4** dir, mich **5** sich, sich **6** dich, mir **7** sich, sich **8** euch, uns

30 **2** das Sternzeichen **3** der Krebs **4** die Sternenkonstellation **5** das Horoskop

F

33 *vgl. Hörtext Nr. 6*

34 jetzt, Herz, Konjunktion, Wanze, Zäpfchen, Spezialist, Ergänzung, zart, schmutzig, Platz, verzweifelt, Präposition, Zeug, Schmerzen, Zahnarzt, plötzlich

Testen Sie sich: **1** c, **2** c, **3** a, **4** c, **5** a, **6** c, **7** c, **8** c, **9** a, **10** b, **11** a, **12** a, **13** a, **14** a, **15** c

Lektion 2

A

1 **2** der Geist, -er (e), **3** der Außerirdische, -n (h), **4** der Engel, - (a), **5** die Fee, -n (d), **6** der Hellseher, - (c), **7** die Hexe, -n (f), **8** der Vampir, -e (b)

3 *vgl. Hörtext Nr. 12*

4 **2** ... um sich die Beine zu vertreten **3** ... um abzuwarten **4** ... vielleicht um einen Landeplatz zu suchen **5** ... um ihn zurückzuhalten **6** ... um sich das Ufo aus der Nähe anzuschauen **7** ... um die Polizei anzurufen **8** ... um zu sehen **9** ... um ihr von den mysteriösen Vorfällen zu berichten **10** ... um auf sich aufmerksam zu machen **11** ... um den Lottoschein abzugeben **12** ... um einen Teil des Geldes zu holen

5 **2** ... um besser einschlafen zu können **3** ... um sich gegen Feuer unempfindlich zu machen **4** ... um gewaltige Körperkräfte zu bekommen **5** ... um die Sprache

der Tiere zu verstehen **6** … um Glück zu haben **7** … um Sehkraft und Gedächtnis zu stärken **8** … um jung zu bleiben und sich vor Blitz, Feuer, Gespenstern und Zauberei zu schützen

6 2 e, 3 g, 4 h, 5 a, 6 b, 7 c, 8 d

7 **2** Um eine Million zu gewinnen, müssen Sie Lotto spielen.
3 Um etwas über Ihre eigene Zukunft zu erfahren, müssen Sie zu einem Hellseher gehen.
4 Um andere Leute kennenzulernen, müssen Sie abends ausgehen.
5 Um Land und Leute in fremden Ländern besser zu verstehen, müssen Sie länger dort leben und die Sprache lernen.
6 Um über das politische Geschehen informiert zu sein, müssen Sie regelmäßig Zeitung lesen.
7 Um Romane zu schreiben, müssen Sie gut schreiben und viel Fantasie haben.
8 Um ein guter Sportler zu werden, müssen Sie viel trainieren.

8 **2** … schlafen **zu** können … **3** … Ohren **zu** frieren. **4** … auswendig **zu** lernen. **5** … Krankheit **zu** be… **6** … sicher **zu** fühlen. **7** … planen **zu** können. **8** … nicht **zu** ver… **9** … alt **zu** werden.

B

11 **2** Automobil, **3** elektrisches Licht, **4** Dynamit, **5** Dampfmaschine, **6** Relativitätstheorie, **7** Antibiotikum, **8** DNA, **9** Computer, **10** Buchdruck, **11** Kernspaltung

13 **2** wird … verschmelzen, **3** werden … machen können, **4** werden … enthalten, **5** werden … teilnehmen können, **6** wird … haben, **7** wird … kontrollieren, **8** werden … haben **9** werden … sein **10** geben wird

C

16 *vgl. Hörtext Nr. 14*

19 Klima, bügeln, allein, plötzlich, prima, treffen, schlafen, leer, verwechseln, Gefühl, künstlich, Herz, der/den, schnell, Insel, Computer, Kühle, überall, sprechen, Inserat, Engel, rechts, lautlos, lächeln, Technik, singen, links, Stille, hell

D

21 **2** Muskelkater haben **3** sich mit heißem Wasser verbrennen **4** Nasenbluten haben **5** einen Schluckauf haben **6** einen Kater haben **7** Halsschmerzen haben **8** eine Beule haben **9** Durchfall haben **10** eine Biene hat gestochen **11** Schnupfen haben **12** hohes Fieber haben **13** sich in den Finger schneiden

23 1 a, 2 h, 3 f, 4 g, 5 d, 6 e, 7 b, 8 c

24 **2** Immer werde ich nur an- und ausgezogen. Ich möchte auch einmal in Ruhe gelassen werden.
3 Immer werde ich nur auf dem Campingplatz abgestellt. Ich möchte auch einmal in die Berge gefahren werden.
4 Immer werde ich nur gelesen. Ich möchte auch einmal gehört werden.
5 Immer werde ich nur in die Ecke gestellt. Ich möchte auch einmal mitten auf den Tisch gelegt werden.
6 Immer werde ich nur vollgepackt. Ich möchte auch einmal leer spazieren getragen werden.
7 Immer werde ich nur auf einen Brief geklebt. Ich möchte auch einmal ohne Brief verschickt werden.

25 1 A, 2 D, 3 B, 4 C

26 **Hauptsatz:** **1** Ich werde überhaupt nicht ernst genommen **2** … werden mir meistens Antibiotika verschrieben. **3** Durch Gespräche … können diese Ängste bewusst gemacht und behandelt werden. **4** Die Behandlung muss mehrmals durchgeführt werden.
Nebensatz: **1** …, dass Heuschnupfen mit einer … behandelt werden kann. **2** … immer nur untersucht oder geröntgt zu werden. **3** … wie Ihre Darmerkrankung behandelt werden kann … usw.

27 **Eigenbluttherapie:** b) Dann wird Blut in den rechten Gesäßmuskel eingespritzt.
Inhalieren: c) Zuerst wird … gegeben. d) Dann wird … über den Kopf gelegt und der heiße Dampf wird inhaliert.
Wadenwickel: e) Zuerst werden … bereitgestellt. f) Dann werden … gewickelt und der Patient wird gut zugedeckt.

28 *vgl. Hörtext Nr. 23*

29 **2** … Sie in die Wiese gelegt werden. **3** … Sie von einem kleinen Männchen mit einem langen Bart auf den Teppich eingeladen werden. **4** … Sie leicht hin und her geschaukelt werden. **5** … Sie von den Wolken eingefangen und sanft gestreichelt werden. **6** … Sie wieder sanft auf den Boden zurückgelegt und von den leisen Tönen einer Geige aufgeweckt werden. **7** … Sie kräftig geschüttelt werden müssen. **8** … Sie mit einem kalten Waschlappen aufgeweckt werden müssen.

E

30 2 auf, 3 mit, 4 an, 5 von, 6 zu, 7 auf, 8 über, 9 über, 10 an, 11 an, 12 von, 13 nach, 14 mit, 15 über, 16 bei, 17 zu, 18 um

31 an … gelitten, an … erinnert, auf … geachtet, auf … verlassen, auf … vorbereitet, bei … geholfen, mit … beschäftigt, mit … geredet, nach … gerochen, über … gestritten, über … diskutiert, über … geredet, ist es um … gegangen, von … gehalten, von … erzählt, zu … gemacht, zu … gepasst

32 **2** an den, **3** nach, **4** von deinen, **5** über, **6** bei den, **7** zu

Testen Sie sich: 1 a, 2 b, 3 c, 4 a, 5 b, 6 c, 7 b, 8 c, 9 b, 10 a, 11 b, 12 a, 13 c, 14 b, 15 a

Lektion 3

A

2 1 b, 2 b, 3 c, 4 a

3 2 c, 3 e, 4 b, 5 a, 6 f

5 **2** um … zu verbessern **3** ohne … zu sprechen **4** um … sprechen zu können **5** ohne … zu fragen **6** um … zu lernen **7** ohne zu übertreiben **8** um … zu geben **9** ohne … nachzudenken, um … vorzubereiten **10** um … zu sein

B

8 **Geburtsort:** 27 %, **Familie:** 25 %, **Freunde:** 6 %, **Deutschland:** 11 %
eher an Bedeutung gewonnen: 56 %,
eher an Bedeutung verloren: 25 %
weder noch: 19 %

9 *vgl. Hörtext Nr. 24–25*

10 **A:** 3 weil, 4 weil, 5 damit, 6 damit, 7 um, 8 um, 9 weil
B: 1 damit, 2 um, 3 damit, 4 weil, 5 um, 6 um, 7 weil, 8 damit, 9 weil

11 **zieht die Menschen in die Ferne:** Abenteuer/Risiko suchen, neue Erfahrungen sammeln, fremde Sprachen und Kulturen kennenlernen, eigene Grenzen erfahren, Distanz zur eigenen Kultur haben, einen anderen Blick auf die eigene Kultur suchen, bessere Chancen im Beruf haben, mit Menschen in anderen Kulturen zusammenarbeiten, Menschen in anderen Ländern helfen, über andere Länder berichten können, Selbstbewusstsein stärken, seinen eigenen Horizont erweitern …
hält die Menschen zu Hause: Sicherheit im Beruf nicht aufgeben wollen, Freunde verlieren, Familie/Freunde in nächster Umgebung haben, Geborgenheit suchen, Langeweile haben, Heirat/Partnerschaft, Angst vor dem Alleinsein/dem Neuen haben
weitere Gründe: Mich zieht es in die Ferne, weil ich die ganze Welt mit eigenen Augen sehen will. Viele Menschen gehen ins Ausland, damit ihr Lebenslauf besser aussieht. Ich bleibe lieber zu Hause, weil ich hier einen guten Job habe. Manche bleiben lieber zu Hause, weil sie sich da am wohlsten fühlen. (Lösungsvorschlag)

12 **1** c, **2** d, **3** f, **4** j, **5** g, **6** 0, **7** a, **8** b

C

13 **1** Sehnsucht nach, **2** Liebe zu, **3** Angst vor, **4** Zeit für, **5** Lust auf, **6** Interesse an, **7** Hoffnung auf

14 Angst vor der Abhängigkeit, Interesse an fremden Kulturen, Liebe zu einem Deutschen, Zeit für Heimweh, Lust auf arabische Küche, Hoffnung auf einen guten Job

15 **1** Zeit für, **2** Heimweh nach, **3** Angst vor, **4** Liebe zu, **5** Hoffnung auf, **6** Lust auf, **7** Interesse an, **8** Sehnsucht nach

D

16 *vgl. Hörtext Nr. 26*

17 linke Spalte: k**ö**nnte, m**ü**sste, rechte Spalte: h**ä**tte, w**ä**re, w**ü**rde, f**ä**nde, g**ä**be

19 **2** … arbeiten müssten? **3** … aussuchen könnten? **4** … verlieren würden? **5** … ankommen würden? **6** … heiraten könnten? **7** … wären? **8** … wären? **9** … halten dürften?

20 **1** Du trainierst so oft, als ob du an der Olympiade teilnehmen wolltest. **2** Sie singen so schön, als ob Sie Opernsängerin wären. **3** Wir tun so, als ob wir alles verstanden hätten. **4** Er macht den Eindruck, als ob er Bescheid wüsste. **5** Ihr strahlt, als ob ihr im Lotto gewonnen hättet. **6** Du benimmst dich so, als ob du hier zu Hause wärst. **7** Es sieht so aus, als ob sie uns helfen könnte. **8** Sie schauen dauernd auf die Uhr, (so) als ob Sie gleich gehen müssten. **9** Man sollte so leben, als ob es kein „Morgen" gäbe.

22 *vgl. Hörtext Nr. 27*

E

23 „Ich heiße Ricardo | und bin 16 Jahre alt. Ich bin hier in Berlin geboren, auch wenn ich nicht so aussehe. Meine Mutter ist Japanerin | und mein Vater Bolivianer. In meiner Klasse | sind von 30 Schülern | nur vier Deutsche. Meine Freunde beneiden mich, weil ich mehrere Sprachen spreche. Mit meinem Bruder Deutsch, mit meiner Mutter Japanisch | und mit meinem Vater Spanisch. Ich bin sehr gern | bei meinen Großeltern in Japan: Das Klima ist angenehm | und die Menschen sind ruhig. Mir gefallen aber auch | die lauten Südamerikaner, die jeden gleich zum Freund haben. Ich möchte später mal | für ein Jahr nach England, da war ich noch nie. Und die britische Lebensart, die finde ich irgendwie interessant. Aber meine Heimat, das ist Deutschland."

24 **Nomen:** in meiner Klasse, nur vier Deutsche
Verben: auch wenn ich nicht so aussehe, meine Freunde beneiden mich
Adjektive: das Klima ist angenehm, die Menschen sind ruhig
Adverbien: ich bin sehr gern, ich möchte später mal

26 •●: mein **Land**, •●•: nach **Kno**blauch, nach **Son**ne, ••●: meine **Stadt**, nach dem **Meer**, ••●•: nach To**ma**ten, wo ich **le**be, meine **Spra**che, •••●: nach frischem **Fisch**, meine Mu**sik**, wo man mich **kennt**, •••●••: wo ich ge**bo**ren bin, ••••●•: das sind meine **Freun**de

Testen Sie sich: **1** a, **2** a, **3** b, **4** b, **5** c, **6** c, **7** b, **8** b, **9** c, **10** a, **11** c, **12** b, **13** c, **14** b, **15** a

Lektion 4

A

1 **1** g, **2** k, **3** e, **4** n, **5** l, **6** c, **7** b, **8** m, **9** a, **10** h, **11** d, **12** i, **13** f, **14** o, **15** j

2 **2** viel zu tun haben, **3** keine Zeit für die Familie haben, **4** einen langen Weg zur Arbeit haben, **5** früh aufstehen müssen, **6** kein festes Gehalt haben, **7** schlecht verdienen, **8** immer erschöpft sein, **9** keine interessante Arbeit haben, **10** unzufrieden mit der Arbeit sein

3 **3** Meine Arbeitszeiten sind so flexibel, dass ich meine Zeit frei einteilen kann.
4 Ich habe natürlich einen E-Mail-Anschluss zu Hause und ein Handy, sodass ich ständig erreichbar bin.
5 Meine Frau arbeitet auch halbtags, sodass wir uns die Erziehungsarbeit teilen können.
6 Unsere Arbeit ist so optimal organisiert, dass wir sehr viel Zeit für die Kinder haben.
7 Früher war das ganz anders! Ich habe ganztags im Büro gearbeitet, sodass meine Frau ihren Beruf nicht ausüben konnte.
8 Abends war ich so erschöpft, dass ich keine Nerven mehr für die Kinder hatte.

4 **2** denn, **3** sodass, **4** Deshalb, **5** weil, **6** so … dass, **7** deshalb, **8** sodass

5 **2** Sie musste sich beeilen, sodass sie keine Zeit fürs Frühstück hatte.
3 Sie fand keinen Parkplatz, deshalb kam sie zu spät ins Büro.
4 Sie schüttete Kaffee über wichtige Papiere, sodass sie alles noch mal machen musste.
5 Beim Meeting wurde sie vom Chef kritisiert, weil sie keine guten Ideen hatte.
6 Sie machte keine Mittagspause, denn sie hatte sehr viel zu tun.
7 Sie konnte sich nicht auf die Arbeit konzentrieren, sodass sie erst spät fertig wurde.
8 Auf der Heimfahrt war sie sehr nervös, sodass sie einen Unfall verursachte.
9 Zu Hause kam sie nicht in die Wohnung, weil sie den Schlüssel im Büro vergessen hatte.
10 Sie wollte in ein Restaurant essen gehen, denn sie hatte den ganzen Tag noch nichts gegessen.
11 Es war schon so spät, dass die Küche bereits geschlossen war.

6 … Er hat alle Papiere bereits gestern fertig gemacht, sodass er vor dem Meeting noch einen Kaffee trinken kann. Er

macht so gute Vorschläge, dass er beim Meeting vom Chef gelobt wird. Er macht eine Diät, deshalb isst er mittags nur ein Joghurt und einen Apfel. Er erwartet eine Nachricht von einem wichtigen Kunden und checkt deshalb nachmittags noch einmal seine E-Mails. Bingo! Er hat den Auftrag bekommen, deshalb kann er heute früher Feierabend machen. Er kommt so früh nach Hause, dass er noch zwei Stunden ins Sportstudio gehen kann. Das tut gut! Er ist mit seiner neuen Freundin um acht zum Kino verabredet – deshalb freut er sich schon jetzt auf einen netten Abend. (Lösungsvorschlag)

7 **2** Sie haben überall ein Handy dabei, sodass sie immer erreichbar sind.
3 Sie berichten schnell über Ereignisse, deshalb brauchen sie gute Kontakte zu wichtigen Persönlichkeiten.
4 Sie kennen die Gastländer so gut, dass sie auch über Hintergründe von Ereignissen berichten können.
5 Sie bleiben nur einige Jahre an einem Ort, deshalb lernen sie viele Länder kennen.
6 Sie berichten oft in Livesendungen, sodass sie auch mitten in der Nacht arbeiten müssen.
7 Sie treten so oft im Fernsehen auf, dass sie im Heimatland sehr bekannt sind.
8 Sie brauchen guten Kontakt zum Heimatland, deshalb besuchen sie regelmäßig den Sender.

B

8 **Kfz-Mechaniker:** flexibel, geduldig, ordentlich, sorgfältig, zuverlässig
Krankenschwester: einfühlsam, energisch, freundlich, verständnisvoll, sorgfältig
Friseur: freundlich, kommunikativ, kreativ, offen, sorgfältig
Sekretärin: flexibel, intelligent, kontaktfreudig, selbstbewusst, unbestechlich (Lösungsvorschlag)

9 **2** … der Zeit, **3** … des Geldes, **4** … der Ausbildung, **5** … der Deutschen, **6** … des Jahres, **7** … der Fähigkeiten, **8** … der Gewerkschaft

10 **1** … eines Geschäftsführers, … des Trainings
2 … des Marketings, … der Zusammenarbeit
3 … des Bewerbers, … des Vorstellungsgesprächs
4 … der Bewerbungen, … verschiedener Fremdsprachen

11 **2** Valeskas Fremdsprachenkenntnisse sind sehr gut.
3 Günters Vorstellungsgespräch lief sehr gut.
4 Heidrun Heinrichs Lebenslauf ist sehr interessant.
5 Die Chefin hat Franks Fähigkeiten erkannt.

12 **1** der Erreichbarkeit, der Bewerbungsmappen, **2** des Bewerbers oder der Bewerberin, des Trainings, **3** des „Teamplayers", der Bürger **4** der Ausbildung, von Bewerbungen, **5** des Gesprächspartners, des Vorstellungsgesprächs, **6** von Fachkenntnissen

C

13 **2** Ich brauche nicht pünktlich zur Arbeit zu erscheinen.
3 Ich brauche meinem Chef nicht jeden Tag Kaffee zu kochen.
4 Ich brauche mein Büro nicht mit mehreren Arbeitskollegen zu teilen.
5 Ich brauche nicht den ganzen Tag die Reklamationen der Kunden zu bearbeiten.
6 Ich brauche nicht ständig meine Mittagspause ausfallen zu lassen.
7 Ich brauche nicht abends regelmäßig eine Tablette gegen Kopfweh zu nehmen, um einzuschlafen.

14 *vgl. Hörtext Nr. 31*

D

16 *vgl. Hörtext Nr. 34*
17 *vgl. Hörtext Nr. 35*

E

20 **1** Geben Sie Ihre Adresse, Telefonnummer und E-Mail-Adresse an.
2 Achten Sie auf den genauen Namen der Firma. Nennen Sie in der Anschrift und in der Anrede eine Ansprechpartnerin oder einen Ansprechpartner. Schreiben Sie sonst „Sehr geehrte Damen und Herren".
3 Schreiben Sie kurz und deutlich den Anlass (Bewerbung) und den Bezug (Anzeige mit Datum).
4 Schreiben Sie gleich nach dem ersten Satz, warum Sie sich für diese Stelle interessieren.
5 Schreiben Sie, was Sie zurzeit machen und wann Sie die Arbeit beginnen können.
6 Schreiben Sie, warum Sie für die Stelle geeignet sind. Benennen Sie möglichst konkret Ihre Fähigkeiten und Interessen mit Bezug zum Job.
7 Bitten Sie um eine Einladung zum Vorstellungsgespräch. Schreiben Sie noch einmal, dass Sie Interesse an der Firma und an der Stelle haben.
8 Benutzen Sie die neutrale Grußformel „Mit freundlichen Grüßen". Ihre Unterschrift sollte so sein, dass man sie lesen kann.
9 Weisen Sie zum Schluss auf die Anlagen hin. Wenn Foto, Lebenslauf und Zeugnisse ordentlich in einem Hefter sortiert sind, reicht der Hinweis „Bewerbungsunterlagen". Benutzen Sie keine Abkürzungen, keine umgangssprachlichen Wörter wie „toll" oder „super" und keine ungenauen Angaben wie „ein bisschen", „ganz gut", „vielleicht" oder „eigentlich".

21 **von oben nach unten:** Absender (Telefonnummer), Anschrift (Ansprechpartner), Betreff (genauer formulieren), Anrede (Ansprechpartner), Einstieg (Interesse allgemein und speziell an der Firma), Überleitung (Ausbildungsbeginn), Erläuterung (einschlägiges Praktikum, Kundenbetreuung, Sprachkenntnisse), Schluss-Satz (Bitte um Vorstellungsgespräch), Grußformel (Standardformel), Anlage (eingefügt)

22 **von oben nach unten:** 4, 1, 3, 2

F

23 **2** nämlich, **3** also, **4** also, **5** also, **6** nämlich

24 der Alkohol, das Auto, der Erfolg, die Fantasie, das Fett, die Gebühr, die Hilfe, die Idee, die Kalorie, der Konflikt, der Kontakt, der Niederschlag, die Tradition, der Umfang, das Vitamin
1. Spalte: -reich, -frei, -frei, -reich, -arm, -arm, -frei, -reich
2. Spalte: -reich, -reich, -frei, -arm, -frei, -reich, -reich, -reich

25 Sie sind ein erfolgreicher Macher, kontaktarm, fantasielos, abwechslungsreichen, konfliktfreier, einflussreiche, ideenreiche, zahlreichen, gebührenfrei
Kellner/in gesucht: traditionsreiches, abwechslungsreiche, umfangreiches, Zahlreiche, hilfreich
Sie leiden an Stress und Schlaflosigkeit? kalorienreich, fettarmer, kalorienarmer, vitaminreicher, alkoholfreien, stressfreie, niederschlagsarmen, autofreien

Testen Sie sich: **1** b, **2** a, **3** c, **4** a, **5** c, **6** b, **7** b, **8** c, **9** a, **10** b, **11** b, **12** b, **13** c, **14** a, **15** b

Grammatik

Seite 131–167

Übersicht

I Der Laut

§ 1 Das Alphabet
§ 2 Die Vokale, Umlaute und Diphthonge
§ 3 Die Konsonanten und Konsonantenverbindungen
§ 4 Der Wortakzent

II Das Wort

Das Verb

§ 5 Der Infinitiv = die Grundform des Verbs
§ 6 Die Konjugation im Präsens
§ 7 Unregelmäßige Verben im Präsens
§ 8 Trennbare und nicht-trennbare Verben
§ 9 Reflexive Verben
§ 10 Der Imperativ
§ 11 Die Modalverben
§ 12 Das Perfekt
§ 13 Das Präteritum
§ 14 Das Plusquamperfekt
§ 15 Das Futur I: Zukunft
§ 16 „zu" + Infinitiv
§ 17 Konjunktiv II („würd-, könnt-, sollt-" + Infinitiv)
§ 18 Das Passiv
§ 19 Das Verb und seine Ergänzungen

Das Nomen

§ 20 Das Nomen und der Artikel
§ 21 Das Nomen im Singular und Plural
§ 22 Die Kasus

Die Artikelwörter und Pronomen

§ 23 Die Personalpronomen
§ 24 Die Possessiv-Artikel
§ 25 Die Artikel als Pronomen
§ 26 Die Reflexivpronomen
§ 27 Die Relativpronomen

Die Adjektive

§ 28 Das Adjektiv im prädikativen Gebrauch
§ 29 Die Deklination der Adjektive
§ 30 Die Steigerung der Adjektive

Die Adverbien

§ 31 Zeit-, Häufigkeits- und Ortsangaben

Die Präpositionen

§ 32 Die wichtigsten Präpositionen
§ 33 Die Präpositionen – Bedeutung
§ 34 Die Präpositionen – Kurzformen

Die Konjunktionen

§ 35 und / oder / aber / trotzdem / deshalb
§ 36 als / wenn / weil / obwohl / sodass / damit / dass / ob

Die Modalpartikeln

§ 37 Die Bedeutungen der Modalpartikeln

Die Zahlen

§ 38 Die Kardinalzahlen
§ 39 Die Ordinalzahlen
§ 40 Die Zahlwörter
§ 41 Datum und Uhrzeit

Die Wortbildung

§ 42 Komposita
§ 43 Vorsilben und Nachsilben

III Der Satz

§ 44 Der Aussagesatz
§ 45 Der Fragesatz
§ 46 Der indirekte Fragesatz
§ 47 Der Imperativ-Satz
§ 48 Die Satzteile
§ 49 Das Satzgefüge

I Der Laut

§1 Das Alphabet

Aa [a:] Bb [be:] Cc [tse:] Dd [de:] Ee [e:] Ff [ɛf] Gg [ge:]
Hh [ha:] Ii [i:] Jj [jɔt] Kk [ka:] Ll [ɛl] Mm [ɛm] Nn [ɛn]
Oo [o:] Pp [pe:] Qq [ku:] Rr [ɛr] Ss [ɛs] Tt [te:] Uu [u:]
Vv [fao] Ww [ve:] Xx [iks] Yy [ypsilɔn] Zz [tset]

Umlaute: Ää [ɛ:] Öö [ø:] Üü [y:]

Diphthonge: Ei/ei [ai] Au/au [ao] Eu/eu/Äu/äu [oi]

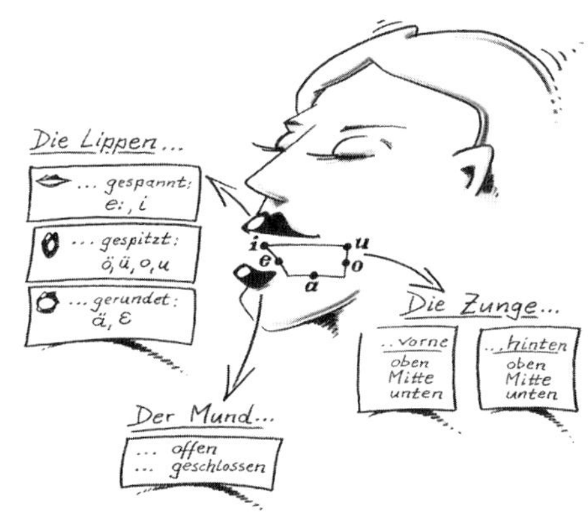

[e:] bedeutet lange sprechen!

§2 Die Vokale, Umlaute und Diphthonge

schreiben:	sprechen:	Beispiel:
a	[a]	dann, Stadt
a, aa, ah	[a:]	Name, Paar, Fahrer
e	[ɛ]	kennen, Adresse
	[ə]	kennen, Adresse
e, ee, eh	[e:]	den, Tee, nehmen
i	[ɪ]	Bild, ist, bitte
i, ie, ich	[i:]	gibt, Spiel, ihm
ie	[jə]	Familie, Italien
o	[ɔ]	doch, von, kommen
o, oo, oh	[o:]	Brot, Zoo, wohnen
u	[ʊ]	Gruppe, hundert
u, uh	[u:]	gut, Stuhl
y	[y]	Gymnastik, System

Umlaute		
ä	[ɛ]	Gäste, Länder
ä, äh	[ɛ:]	spät, wählen
ö	[œ]	Töpfe, können
ö, öh	[ø]	schön, fröhlich
ü	[y]	Stück, Erdnüsse
ü, üh	[y:]	üben, Stühle

Diphthonge		
ei, ai	[ai]	Weißwein, Mai
eu, äu	[ɔy]	teuer, Häuser
au	[aʊ]	Kaufhaus, laut

§3 Die Konsonanten und Konsonantenverbindungen

Konsonanten		
b*, bb	[b]	Bier, Hobby
d*	[d]	denn, einladen
f, ff	[f]	Freundin, Koffer
g*	[g]	Gruppe, Frage
h	[h]	Haushalt, hallo
j	[j]	Jahr, jetzt
k, ck	[k]	Küche, Zucker
l, ll	[l]	Lampe, alle
m, mm	[m]	mehr, Kaugummi
n, nn	[n]	neun, kennen
p, pp	[p]	Papiere, Suppe
r, rr, rh	[r]	Büro, Gitarre, Rhythmus
s, ss	[s]	Eis, Adresse
	[z]	Sofa, Gläser
t, tt, th	[t]	Titel, bitte, Methode
v	[f]	verheiratet, Dativ
	[v]	Vera, Verb, Interview
w	[v]	Wasser, Gewürze
x	[ks]	Infobox, Text
z	[ts]	Zettel, zwanzig

*am Wortende / am Silbenende		
-b	[p]	Urlaub, Schreibtisch
-d, -dt	[t]	Fahrrad, Stadt
-g	[k]	Dialog, Tag
-ig	[ç]	günstig, ledig
-er	[ɐ]	Mutter, vergleichen

Konsonanten in Wörtern aus anderen Sprachen		
c	[s]	City
	[k]	Computer, Couch
ch	[ʃ]	Chance, Chef
j	[dʒ]	Jeans, Job
ph	[f]	Alphabet, Strophe

Konsonantenverbindungen		
ch	[ç]	nicht, rechts, gleich, Bücher
	[x]	acht, noch, Besuch, auch
	[k]	Chaos, sechs
ng	[ŋ]	langsam, Anfang
nk	[ŋk]	danke, Schrank
qu	[kv]	Qualität
sch	[ʃ]	Tisch, schön
-t- vor -ion	[ts]	Lektion, Situation

am Wortanfang / am Silbenanfang		
st	[ʃt]	stehen, verstehen
sp	[ʃp]	sprechen, versprechen

§ 4 Der Wortakzent

1. Der Akzent im Wort

Der Wortakzent ist in deutschen Wörtern immer auf der Stammsilbe .

gehen, kommen, Deutschbuch, Küche

Der Wortakzent in nicht-deutschen Wörtern ist auf der zweitletzten oder auf der letzten Silbe.

Computer, telefonieren, Polizei, Dialog, Hotel

2. Der Wortakzent: kurz oder lang?

Akzentvokal	Regel
langer Vokal [a]	1. **Vokal + h** *sehr, zehn, Jahre, Zahl* 2. **Vokal + Vokal** *Boot, Tee, Lied, Eis* 3. **Wortstamm-Vokal + 1 Konsonant** *gut, Weg, geben, haben*
kurzer Vokal [a]	1. **Vokal + Doppelkonsonant** *kommen, Wasser, Gruppe, bitte* 2. **Vokal + 2 oder 3 Konsonanten** *ich, ist, richtig, ganz, kurz*

II Das Wort

Das Verb

§ 5 Der Infinitiv = die Grundform des Verbs

*ess**en**, heiß**en**, komm**en**, geh**en***

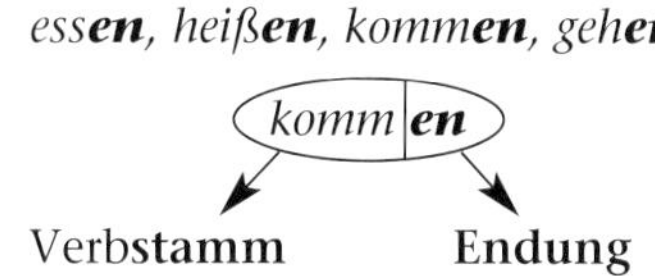

Im Wörterbuch stehen die Verben immer im Infinitiv.

§ 6 Die Konjugation im Präsens

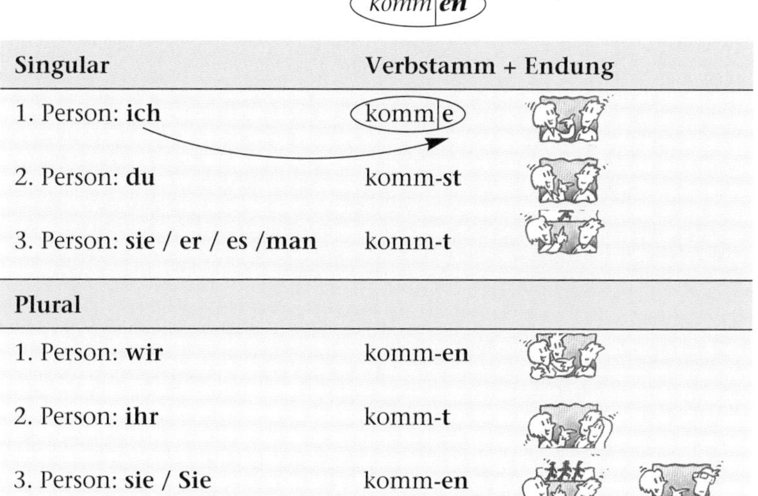

Singular	Verbstamm + Endung
1. Person: **ich**	komm-e
2. Person: **du**	komm-**st**
3. Person: **sie / er / es /man**	komm-**t**
Plural	
1. Person: **wir**	komm-**en**
2. Person: **ihr**	komm-**t**
3. Person: **sie / Sie**	komm-**en**

§ 7 Unregelmäßige Verben im Präsens

1. sein / haben

	sein	haben	werden
ich	bin	habe	werde
du	bist	hast	wirst
sie / er / es / man	ist	hat	wird
wir	sind	haben	werden
ihr	seid	habt	werdet
sie / Sie	sind	haben	werden

2. Verben mit Vokalwechsel in der 2. und 3. Person Singular

Vokalwechsel e → i, e → ie

	2. Person Singular	3. Person Singular
sprechen	**du** sprichst	**sie / er / es / man** spricht
nehmen	du nimmst	sie / er / es / man nimmt
sehen	du siehst	sie / er / es / man sieht
lesen	du liest	sie / er / es / man liest
geben	du gibst	sie / er / es / man gibt
essen	du isst	sie / er / es / man isst
helfen	du hilfst	sie / er / es / man hilft

Vokalwechsel a → ä

	2. Person Singular	3. Person Singular
schlafen	**du** schläfst	**sie / er / es / man** schläft
tragen	du trägst	sie / er / es / man trägt
fahren	du fährst	sie / er / es / man fährt

§ 8 Trennbare und nicht-trennbare Verben

1. Trennbare Verben

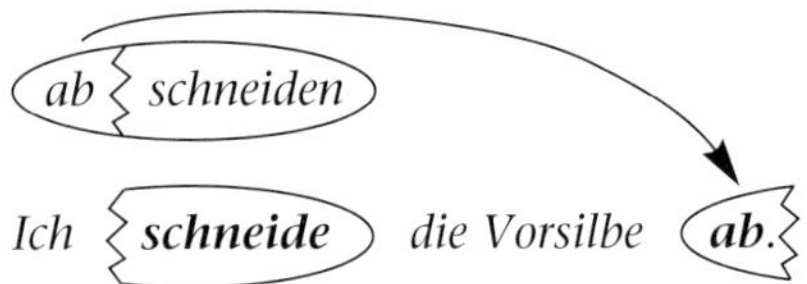

*Ruth **holt** Anna vom Kindergarten **ab**.*

*Thomas **steht** um 7 Uhr **auf** und macht das Frühstück.*

Vor-	Stammsilbe
ab-	holen
ab-	stellen
auf-	stehen
auf-	hängen
auf-	räumen

Vor-	Stammsilbe
an-	machen
an-	ziehen
aus-	sehen
aus-	machen
ein-	packen
ein-	kaufen

Vor-	Stammsilbe
mit-	gehen
zu-	hören
vor-	lesen

Trennbare Verben:	Wortakzent ●○○	vorlesen
Nicht-trennbare Verben:	Wortakzent ○●○	erklären

2. Nicht-trennbare Verben

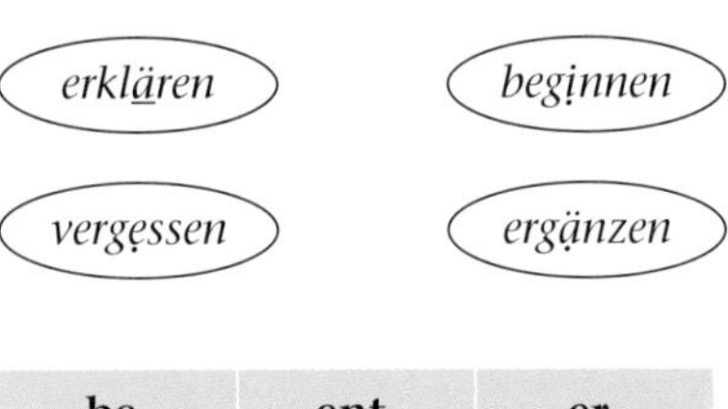

Die Lehrerin erklärt die Verben.

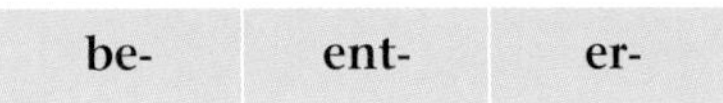

ge-	miss-	ver-	zer-	wider-

§ 9 Reflexive Verben

Reflexive Verben beziehen sich auf das Subjekt. Bei reflexiven Verben sind das Subjekt und das Objekt-Pronomen identisch.

	Reflexivpronomen im Akkusativ		**Reflexivpronomen im Dativ**		
Singular	Ich freue	**mich.**	Ich wünsche	**mir**	ein Buch.
	Du freust	**dich.**	Du wünschst	**dir**	ein Buch.
	Sie / er / es freut	**sich.**	Sie / er / es wünscht	**sich**	ein Buch.
Plural	Wir freuen	**uns.**	Wir wünschen	**uns**	ein Buch.
	Ihr freut	**euch.**	Ihr wünscht	**euch**	ein Buch.
	Sie freuen	**sich.**	Sie wünschen	**sich**	ein Buch.
Formell	Sie freuen	**sich.**	Sie wünschen	**sich**	ein Buch.

Reflexive Verben und ihre Präpositionen

Verben mit Reflexivpronomen im Akkusativ			
sich ärgern	**über** + Akk	sich verabschieden	**von** + Dat
sich beklagen	**über** + Akk	sich gut verstehen	**mit** + Dat
sich bedanken	**für** + Akk	sich scheiden lassen	**von** + Dat
	bei + Dat	sich trennen	**von** + Dat
sich entschuldigen	**für** + Akk	sich ergänzen	**mit** + Dat
	bei + Dat	sich verloben	**mit** + Dat
sich erinnern	**an** + Akk	sich wohlfühlen	**in** + Dat
sich freuen	**über** + Akk	sich melden	**bei** + Dat
	auf + Akk	sich treffen	**Ortspräposition** + Dat
sich gewöhnen	**an** + Akk		
sich kümmern	**um** + Akk		
sich interessieren	**für** + Akk		
sich verlieben	**in** + Akk		

Ich ärgere mich ständig über meine Kollegin!

Verben mit Reflexivpronomen im Dativ	
sich etwas ausdenken	sich etwas kaufen
sich gefallen	sich etwas wünschen
sich etwas gefallen lassen	sich etwas besorgen

Ich wünsche mir ein rotes Handy mit Kamera.

§ 10 Der Imperativ

1. Der Gebrauch des Imperativs

Setzen Sie sich doch, bitte!

Die Bitte:	**Gib** mir das Wörterbuch, *bitte*!
Der Tipp:	**Kauf** ihnen *doch* ein paar Süßigkeiten!
Der Befehl:	**Gib ihr** *sofort* das Feuerzeug!
Das Verbot:	**Spiel** *nicht* mit dem Feuer!

2. Die Form des Imperativs

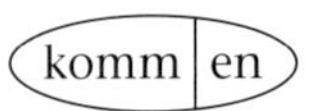

Infinitiv	du	ihr	Sie
kommen	Komm -!	Komm -t!	Komm -en Sie!
kaufen	Kauf -!	Kauf -t!	Kauf -en Sie!
▶ geben	Gib -!	Geb -t!	Geb -en Sie!

3. Position im Satz

	Position 1	Position 2
Per du:	*Nimm*	*lieber ein Taxi!*
Per Sie:	*Kommen*	*Sie gut nach Hause!*

4. Imperativ bei trennbaren Verben

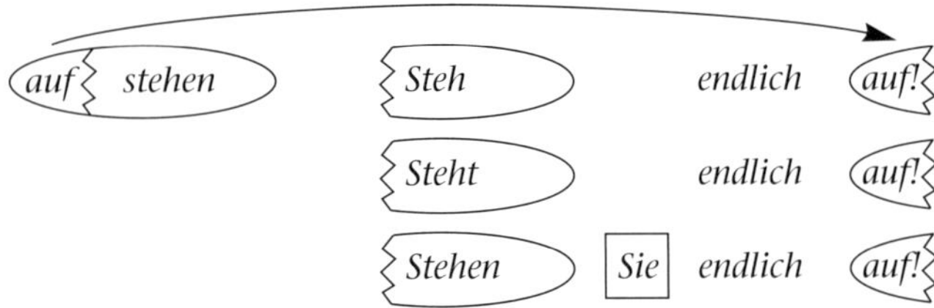

§11 Die Modalverben

dürfen	können	möchten	müssen	sollen	wollen

1. Position im Satz

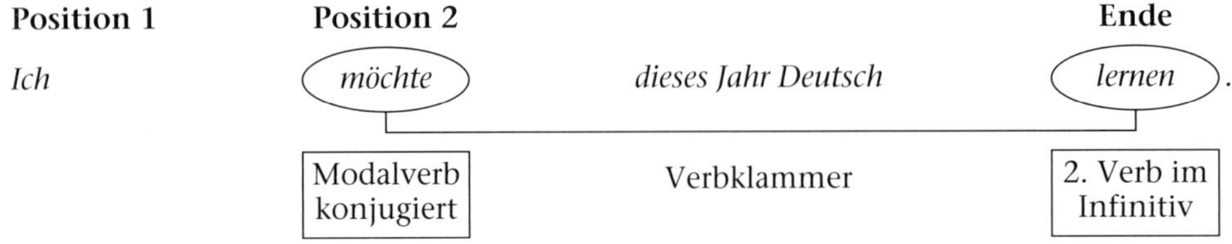

2. Die Bedeutung der Modalverben

dürfen	können	möchten (mögen)	müssen	sollen	wollen
Erlaubnis und Verbot	Möglichkeit	Wunsch	Notwendigkeit	Aufforderung	starker Wunsch/ Wille
Ich **darf** heute lange schlafen. Ich **darf** heute **nicht** lange schlafen.	Ich **kann** schlafen oder fernsehen.	Ich **möchte** jetzt schlafen.	Ich **muss** mehr schlafen.	Ich **soll** schlafen.	Ich **will** schlafen.

Das Verb **brauchen** wird wie ein Modalverb verwendet, wenn es in verneinten Sätzen mit einem Infinitiv verbunden wird. Der Infinitiv wird mit „zu" oder – besonders in der gesprochenen Sprache – ohne „zu" angeschlossen.
*Sie **brauchen** nicht extra (zu) kommen.*

3. Konjugation der Modalverben im Präsens

	müssen	sollen	wollen	können	dürfen	möchten
ich	muss	soll	will	kann	darf	möchte
du	musst	sollst	willst	kannst	darfst	möchtest
sie/er/es/man	muss	soll	will	kann	darf	möchte
wir	müssen	sollen	wollen	können	dürfen	möchten
ihr	müsst	sollt	wollt	könnt	dürft	möchtet
sie/Sie	müssen	sollen	wollen	können	dürfen	möchten

4. Konjugation der Modalverben im Präteritum

	müssen	sollen	wollen	können	dürfen	möchten
ich	musste	sollte	wollte	konnte	durfte	mochte
du	musstest	solltest	wolltest	konntest	durftest	mochtest
sie/er/es/man	musste	sollte	wollte	konnte	durfte	mochte
wir	mussten	sollten	wollten	konnten	durften	mochten
ihr	musstet	solltet	wolltet	konntet	durftet	mochtet
sie/Sie	mussten	sollten	wollten	konnten	durften	mochten

§12 Das Perfekt

1. Position im Satz

	Position 2	Verbklammer	Ende
Anne	***ist***	*völlig falsch*	***gefahren.***
	Hilfsverb		Partizip Perfekt
Sie	***hat***	*einen Taxifahrer nach dem Weg*	***gefragt.***
Aber er	***hat***	*sie in die falsche Richtung*	***geschickt.***

„sein" und „haben" sind **Hilfsverben.**
Sie werden konjugiert.
„gefahren", „gefragt" und „geschickt" sind Verben im **Partizip Perfekt.**
→ **Perfekt = Hilfsverb + Partizip Perfekt**

2. Die Hilfsverben im Perfekt: „sein" oder „haben"?

Hilfsverb **„haben"**:
Die meisten Verben bilden das Perfekt mit „haben".

Hilfsverb **„sein"**:
a) Verben der Bewegung (z. B. *gehen, fliegen, kommen*) und der Veränderung (z. B. *aufwachen, losgehen*)
b) die Verben **sein**, **bleiben** und **werden**

	sein	haben
ich	bin	habe
du	bist	hast
sie/er/es/man	ist	hat
wir	sind	haben
ihr	seid	habt
sie/Sie	sind	haben

3. Die Partizip-Perfekt-Formen

regelmäßige Verben | **unregelmäßige Verben**

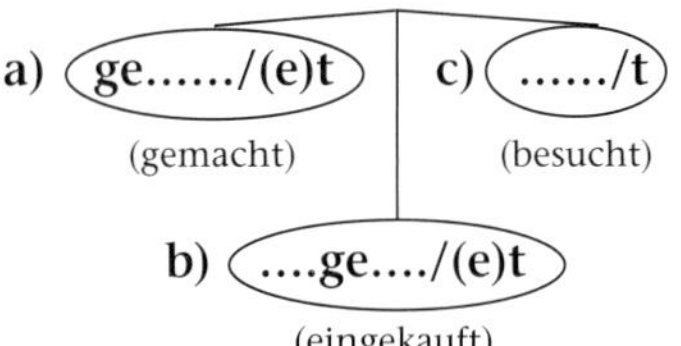

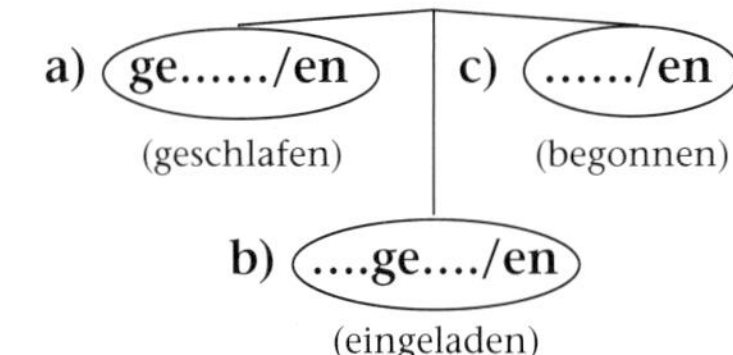

a) **Normale Verben** (z. B. *machen, warten, lernen, essen*)
▶ regelmäßig: *Wir haben lange auf den Bus gewartet.*
unregelmäßig: *Ralf ist im Hotel geblieben.*

b) **Trennbare Verben** (z. B. *aufwachen, losgehen, aufstehen*)
▶ regelmäßig: *Der Bus hat uns zu spät abgeholt.*
unregelmäßig: *Wir sind dann allein losgegangen.*

c) **Nicht-trennbare Verben** (z. B. *besuchen, beginnen, ergänzen*)
▶ regelmäßig: *Wir haben in Las Vegas eine Show besucht.*
unregelmäßig: *Unsere Weltreise hat gut begonnen.*

Regelmäßig oder unregelmäßig?

Bei den unregelmäßigen Verben ist der **Stamm** nicht immer gleich.

sprechen

ich spreche	ich sprach	ich habe gesprochen
du sprichst	du sprachst	du hast gesprochen
*er spricht	er sprach	er hat gesprochen

*Schlagen Sie die Form am besten in der 3. Person Singular nach (er spricht, er sprach, er hat gesprochen).

§ 13 Das Präteritum

1. Die Hilfsverben im Präteritum

	sein	haben	werden
ich	war	hatte	wurde
du	warst	hattest	wurdest
sie/er/es/man	war	hatte	wurde
wir	waren	hatten	wurden
ihr	wart	hattet	wurdet
sie/Sie	waren	hatten	wurden

Als ich jung war, hatte ich einen Alfa Romeo.

2. Die regelmäßigen Verben im Präteritum

Infinitiv-Stamm + Präteritum-Endung			
ich	fragte	**wir**	fragten
du	fragtest	**ihr**	fragtet
sie/er/es/man	fragte	**Sie/sie**	fragten

frag | ten

3. Die unregelmäßigen Verben im Präteritum

Der Wortstamm der unregelmäßigen Verben ändert sich im Präteritum fast immer!

Präteritum-Stamm + Endungen			
ich	ging	wir	gingen
du	gingst	ihr	gingt
sie/er/es/man	ging	Sie/sie	gingen

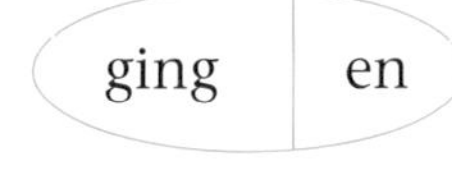

- Achtung: Es gibt einige „Mischverben". Sie verändern ihren Stamm, haben aber die gleichen Endungen wie regelmäßige Verben.
  denken: ich dachte, du dachtest … etc.
- Perfekt statt Präteritum: Die du- und die ihr-Form werden selten verwendet. Hier nimmt man lieber das Perfekt.
  Seid ihr gestern ins Kino gegangen?

§ 14 Plusquamperfekt

Über Vergangenes berichtet man im Präteritum oder im Perfekt. Wenn man etwas beschreiben möchte, was schon **vorher** passiert ist, dann benutzt man das Plusquamperfekt.

Es war eine Stimmung wie auf einem Volksfest.

Nachdem wir die ganze Nacht gefeiert hatten, gingen wir schließlich früh am Morgen todmüde ins Bett.

Verb im Präteritum

Immer wenn wir nach Hause kamen, hatte unsere Großmutter ihren köstlichen Apfelstrudel gebacken.

Partizip Perfekt (→ § 11)

§ 15 Das Futur I: Zukunft

Für die Zukunft benutzt man im Deutschen normalerweise **Präsens** und eine **Zeitangabe**.

*Wir bauen **nächstes Jahr** ein Haus.*
*Er kommt **morgen** kurz bei mir vorbei.*

In schriftlichen Texten oder bei offiziellen Anlässen, für Prognosen, Versprechen und Pläne benutzt man das **Futur I**.

*Die Wetterlage **wird** sich in den nächsten Tagen wenig **ändern**.*
*Wenn Sie uns wählen, dann **wird** es bald keine Arbeitslosen mehr **geben**.*

1. Bildung des Futur I

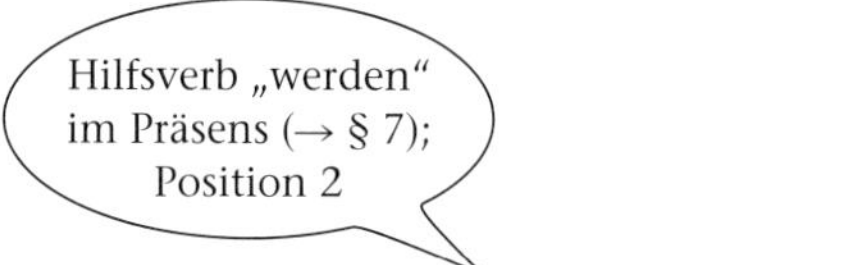

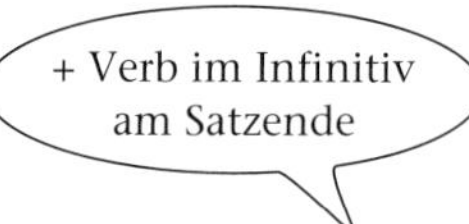

Im Jahr 2050 ***wird*** *es mehr als acht Milliarden Menschen* ***geben.***

2. Futur I mit Modalverben

Die Menschen ***werden*** *nicht mehr* ***arbeiten müssen.***

3. Futur I in Nebensätzen

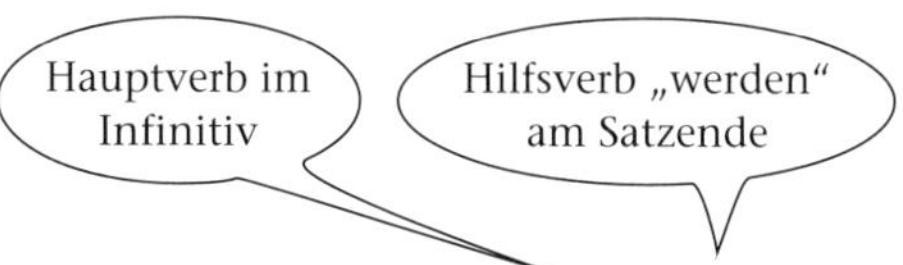

Ich bin sicher, dass die SPD bei der nächsten Wahl ***verlieren wird.***

§ 16 „zu" + Infinitiv

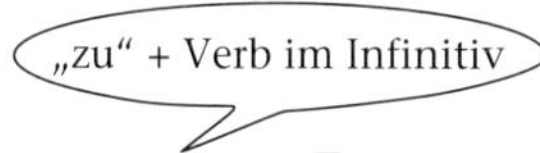

Es ist schwierig, konzentriert ***zu*** *lernen.*

Es gefällt mir, dich lachen ***zu*** *hören!*
Es ist sehr angenehm, einmal alleine ***zu*** *wohnen.*
Es ist ungewöhnlich, mit 30 noch bei Mama ***zu*** *wohnen.*

Ich habe keine Zeit, meine Eltern ***zu*** *besuchen.*
Ich hoffe, ihn morgen hier ***zu*** *finden.*
*Er hat vergessen, die Wohnung auf**zu**räumen.*

Fang bitte schon mal an, die Kartoffeln ***zu*** *schälen.*
Hilf uns doch mal, den Tisch ***zu*** *decken!*

*Du brauchst mir nicht (**zu**) helfen (→ § 11)*

§ 17 Konjunktiv II („würd-, könnt-, sollt-" + Infinitiv)

1. Der Gebrauch des Konjunktiv II

Höfliche Bitten	*Würdest du bitte das Fenster schließen?*
Höfliche Vorschläge	*Wir könnten doch ins Kino gehen.*
Höfliche Ratschläge	*Sie sollten wirklich weniger rauchen.*
Irreales, Wünsche	*Ich wünschte, meine Gedanken wären ein Buch.*
Vergleiche	*Er tut, als ob er reich wäre.*
Indirekte Rede	*Sie dachte, sie könnte ewig leben.*

Zum Gebrauch der Konjunktiv-Formen

- In der Umgangssprache wird der Konjunktiv II meist nur für **„haben"/„sein"** sowie für die **Modalverben** verwendet.

  „sein": *Wie **wäre** es, wenn ich ein begnadeter Musiker **wäre**?*
  „können": *Ach **könnte** ich doch Saxofon spielen!*

- Schriftlich stehen auch andere unregelmäßige Verben manchmal im Konjunktiv II.

  „wissen": *Ich **wüsste** gerne, wie das Leben als Musiker ist.*
  „finden": *Das **fände** ich toll.*

- Ansonsten verwendet man die Ersatzform „würde" + Infinitv

  „kaufen": *Natürlich **würde** ich mir ein tolles Saxofon **kaufen**.*
  „spielen": *Ich **würde** natürlich mit Charlie Parker **spielen**!*

> Regelmäßige Verben im Konj. II sind gleich wie der Indikativ Präteritum (Prät.: kaufte, Konj. II: kaufte). Man verwendet deshalb die Ersatzform mit „würde" + Infinitiv.

2. Position im Satz

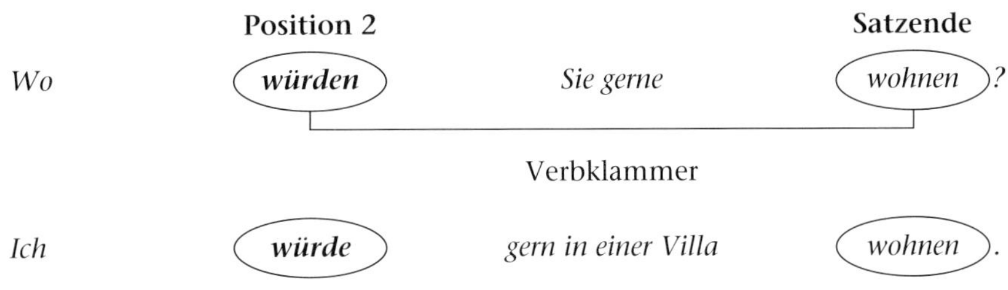

3. Konjugation im Konjunktiv II

a) haben/sein, Modalverben und unregelmäßige Verben

Gegenwart (Präsens)

	ich, sie, er, es	
Infinitiv	**Präteritum**	**Konjunktiv II**
haben	hatte	hätte
sein	war	wäre
werden	wurde	würde
müssen	musste	müsste
dürfen	durfte	dürfte
können	konnte	könnte
mögen	mochte	möchte
wollen	wollte	wollte
sollen	sollte	sollte
lassen	ließ	ließe
kommen	kam	käme
gehen	ging	ginge
wissen	wusste	wüsste
brauchen	brauchte	bräuchte
geben	gab	gäbe

> Bildung des Konjunktiv II: Präteritum + Umlaut + e + Endung: du hattest → du hättest

> „wollen/sollen" ohne Umlaut!

b) Ersatzform „würde“ + Infinitiv (für regelmäßige Verben)

Ich würde natürlich mit Charlie Parker Saxofon spielen!

würden		
ich würde	du würdest	sie/er/es würde
wir würden	ihr würdet	sie/Sie würden

Vergangenheit im Konjunktiv (Partizip Perfekt)

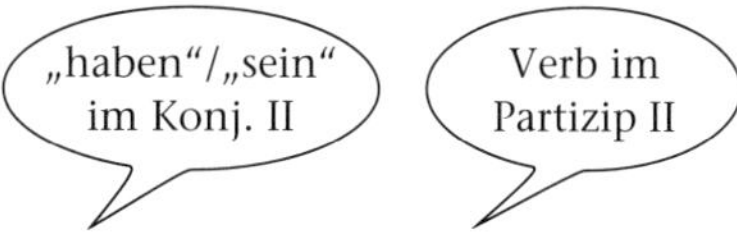

*Ach, **hätte** ich als Kind **gelernt**, Saxofon zu spielen!*
*Das **wäre** mein Traum **gewesen**.*

§18 Das Passiv

1. Passiv mit „werden“

Das Passiv kann überall dort vorkommen, wo es um Beschreibungen von Handlungen und Prozessen geht. Die handelnden Personen sind nicht wichtig, nicht bekannt oder nicht vorhanden.

Aktiv ist die „normale“ Verbform, jemand tut etwas: *Ich schließe das Faxgerät an.*
Passiv benutzen wir, wenn die handelnde Person unbekannt oder nicht so wichtig ist: *Das Faxgerät wird angeschlossen.*

2. Passivsätze mit Modalverben

Modalverben haben keine Passivform. In Passivsätzen mit Modalverben steht nur das Hauptverb im Passiv.

● *Sind die Visitenkarten schon bestellt?*

▲ *Nein, die **müssen** noch **bestellt werden**.*

§19 Das Verb und seine Ergänzungen

Papa, *kaufst* *du* *uns* *ein Eis?*

Verb + Ergänzungen

Verben mit einer Nominativ-Ergänzung (Subjekt)
(schwimmen, schlafen, arbeiten etc.)

Verben mit einer Nominativ- und einer Akkusativ-Ergänzung
(trinken, essen, sehen, hören, lesen etc.)

Verben mit einer Nominativ- und einer Dativ-Ergänzung
(helfen, gefallen, danken etc.)

Verben mit einer Nominativ- und einer Akkusativ- und einer Dativ-Ergänzung
(schreiben, kaufen, geben, nehmen, zeigen etc.)

Verben mit einer Präpositional-Ergänzung
(danken für, bitten um, wohnen in, kommen aus, erzählen von etc.)

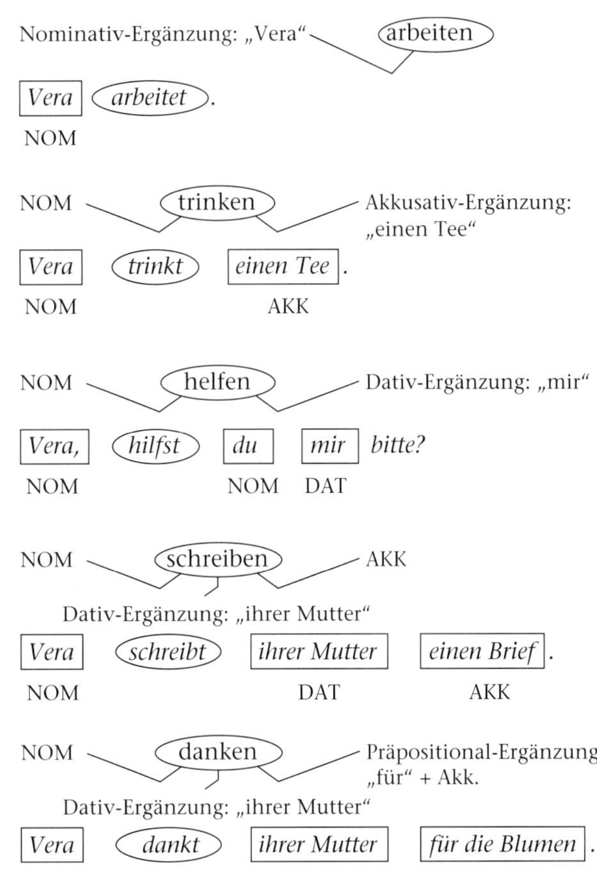

§ 20 Das Nomen und der Artikel

Artikel	feminin ♀	maskulin ♂	neutrum
bestimmter Artikel	**die** Küche	**der** Herd	**das** Handy
unbestimmter Artikel	**eine** Küche	**ein** Herd	**ein** Handy

▶ Manchmal entspricht der Artikel dem natürlichen Geschlecht:
die Frau, die Kellnerin, die Brasilianerin
der Mann, der Kellner, der Brasilianer

1. Genusregeln

feminine Nomen	maskuline Nomen	neutrale Nomen
Endung:	Endung:	**Ge-**: das Genus
-e die Lampe	**-ant** der Elefant	das Gespräch
-heit die Freiheit	**-ent** der Student	Endung:
-keit die Möglichkeit	**-eur** der Friseur	**-chen** das Mädchen
-ung die Wohnung	**-ist** der Tourist	**-zeug** das Spielzeug
-tät die Universität		
-ion die Million		
-ie die Energie	**Wochentage:**	
	der Montag, der Dienstag …	
Früchte:		
die Banane	**Jahreszeiten:**	
aber: der Apfel,	der Frühling, der Sommer …	
der Pfirsich		
	Alkohol:	
	der Wein, der Wodka	
	aber: das Bier	

2. Nomen, die ohne Artikel benutzt werden

Namen:	Hallo Nikos! Sind Sie Frau Bauer?
Berufe:	Er ist Fahrer von Beruf. Ich bin Lehrerin.
Unbestimmte Stoffangaben:	Nehmen Sie Zucker oder Milch? – Zucker, bitte.
Städte und Länder:	Kommen Sie aus Italien? – Ja, ich komme aus Rom. Ich fahre nach + (Land/Stadt ohne Artikel). Ich komme aus + (Land/Stadt ohne Artikel).
! Länder mit Artikel	Ich fahre in die Türkei. Ich fahre in den Iran. Ich komme aus der Türkei. Ich komme aus dem Iran. Ich fahre in + (Artikel im Akkusativ + Land). Ich komme aus + (Artikel im Dativ + Land).

die Schweiz	**der** Iran	**die** Vereinigten Staaten / die USA
die Türkei	der Irak	die Niederlande
	der Sudan	die Philippinen
…	…	…

§21 Das Nomen im Singular und Plural

Der Artikel im Plural heißt „**die**".

die Lampe, -n = **die** Lampen
der Schrank, ¨-e = **die** Schränke
das Bett, -en = **die** Betten

-n / -en	-e / ¨-e	-s	-er / ¨-er	- / ¨
die Lampe, -n	der Apparat, -e	das Foto, -s	das Ei, -er	der Computer, -
die Tabelle, -n	der Tisch, -e	das Büro, -s	das Bild, -er	der Fernseher, -
die Flasche, -n	der Teppich, -e	das Studio, -s	das Kind, -er	der Staubsauger, -
das Auge, -n	das Feuerzeug, -e	das Kino, -s	das Fahrrad, ¨-er	der Fahrer, -
die Regel, -n	das Problem, -e	das Auto, -s	das Glas, ¨-er	das Zimmer, -
die Nummer, -n	das Stück, -e	das Sofa, -s	das Haus, ¨-er	das Theater, -
die Wohnung, -en	der Stuhl, ¨-e	der Kaugummi, -s	das Land, ¨-er	der Vater, ¨
die Lektion, -en	der Ton, ¨-e	der Lolli, -s	das Buch, ¨-er	der Sessel, -
die Süßigkeit, -en	die Hand, ¨-e	der Lerntipp, -s	das Wort, ¨-er	der Flughafen, ¨
…	…	der Luftballon, -s	der Mann, ¨-er	der Bruder, ¨
		…	…	…

▶ Aus **a**, **o**, **u** wird im Plural oft **ä**, **ö**, **ü**: der Mann, ¨-er (= *die Männer*). Von einigen Nomen gibt es keine Singular-Form (zum Beispiel: *die Leute*) oder keine Plural-Form (zum Beispiel: *der Zucker, der Reis*).

§22 Die Kasus

1. Deklination des bestimmten Artikels

Singular	feminin	maskulin	neutrum
Nominativ	**die** Küche	**der** Herd	**das** Handy
Akkusativ	**die** Küche	**den** Herd	**das** Handy
Dativ	**der** Küche	**dem** Herd	**dem** Handy
Genitiv	**der** Küche	**des** Herd(e)s	**des** Handys
Plural			
Nominativ	**die** Küchen/Herde/Handys		
Akkusativ	**die** Küchen/Herde/Handys		
Dativ	**den** Küchen/Herde**n**/Handys		
Genitiv	**der** Küchen/Herde/Handys		

Der Igel ist im Garten.
*Sofie findet **den** Igel.*
*Sofie spricht mit **dem** Igel.*
*Die Stacheln **des** Igels sind spitz.*

2. Deklination des unbestimmten Artikels

Singular	feminin	maskulin	neutrum
Nominativ	**eine** Küche	**ein** Herd	**ein** Handy
Akkusativ	**eine** Küche	**einen** Herd	**ein** Handy
Dativ	**einer** Küche	**einem** Herd	**einem** Handy
Genitiv	**einer** Küche	**eines** Herdes	**eines** Handys
Plural			
Nominativ	- Küchen	- Herde	- Handys
Akkusativ	- Küchen	- Herde	- Handys
Dativ	- Küchen	- Herde**n**	- Handys
Genitiv	–	–	–

▶ Der unbestimmte Artikel im Plural heißt Nullartikel.

3. Deklination des Negativartikels

Singular	feminin	maskulin	neutrum
Nominativ	**keine** Küche	**kein** Herd	**kein** Handy
Akkusativ	**keine** Küche	**keinen** Herd	**kein** Handy
Dativ	**keiner** Küche	**keinem** Herd	**keinem** Handy
Genitiv	**keiner** Küche	**keines** Herd**(e)s**	**keines** Handy**s**
Plural			
Nominativ	**keine** Küchen/Herde/Handys		
Akkusativ	**keine** Küchen/Herde/Handys		
Dativ	**keinen** Küchen/Herde**n**/Handys		
Genitiv	**keiner** Küchen/Herde/Handys		

Die Artikelwörter und Pronomen

§ 23 Die Personalpronomen

		Nominativ	Akkusativ	Dativ
Singular	1. Person	ich	mich	mir
	2. Person	du	dich	dir
	3. Person	sie	sie	ihr
		er	ihn	ihm
		es	es	ihm
Plural	1. Person	wir	uns	uns
	2. Person	ihr	euch	euch
	3. Person	sie	sie	ihnen
Formelle Anrede		Sie	Sie	Ihnen

Hallo, Nikos! Wir sind hier!
Hallo, ihr beiden! Wie geht es euch?
Danke, uns geht es gut!

§ 24 Die Possessiv-Artikel

1. Formen

	als Artikel
ich	**mein** Fahrrad
du	**dein** Fahrrad
sie	**ihr** Fahrrad
er	**sein** Fahrrad
es	**sein** Fahrrad
wir	**unser** Fahrrad
ihr	**euer** Fahrrad
sie	**ihr** Fahrrad
Sie	**Ihr** Fahrrad

2. Deklination von „mein-"

Singular	feminin	maskulin	neutrum
Nominativ	mein**e** Tante	mein Onkel	mein Kind
Akkusativ	mein**e** Tante	mein**en** Onkel	mein Kind
Dativ	mein**er** Tante	mein**em** Onkel	mein**em** Kind
Genitiv	mein**er** Tante	mein**es** Onkel**s**	mein**es** Kind**es**
Plural			
Nominativ	mein**e** Tanten/Onkel/Kinder		
Akkusativ	mein**e** Tanten/Onkel/Kinder		
Dativ	mein**en** Tanten/Onkel**n**/Kinder**n**		
Genitiv	mein**er** Tanten/Onkel/Kinder		

§ 25 Die Artikel als Pronomen

Die bestimmten und unbestimmten Pronomen ersetzen bekannte Namen oder Nomen. Man dekliniert sie genauso wie die Artikel. → § 20–22

Der Tisch ist doch toll.	***Den** finde ich nicht so schön.*
Wie findest du das Sofa?	***Das** ist zu teuer.*
Schau mal, die Stühle!	*Ja, **die** sind nicht schlecht.*
Wir brauchen noch eine Stehlampe.	*Wie findest du denn **die** da vorne?*
Wo finde ich Hefe?	*Tut mir leid, wir haben **keine** mehr. Die kommt erst morgen wieder rein.*
Hast du einen Computer?	*Ja, ich habe **einen**.*
Hat Tom ein Fahrrad?	! *Ich glaube, er hat **eins**.*
	! *Nein, er hat **keins**.*

§ 26 Die Reflexivpronomen (siehe auch § 9 Reflexive Verben)

Reflexivpronomen existieren nicht im Nominativ. Sie sind **identisch mit den Personalpronomen**.
Ausnahme: 3. Person Singular und Plural

	Reflexivpronomen im Akkusativ		Reflexivpronomen im Dativ		
Singular	Ich freue	**mich.**	Ich wünsche	**mir**	ein Buch.
	Du freust	**dich.**	Du wünschst	**dir**	ein Buch.
	Sie / er / es freut	**sich.**	Sie / er / es wünscht	**sich**	ein Buch.
Plural	Wir freuen	**uns.**	Wir wünschen	**uns**	ein Buch.
	Ihr freut	**euch.**	Ihr wünscht	**euch**	ein Buch.
	Sie freuen	**sich.**	Sie wünschen	**sich**	ein Buch.
Formell	Sie freuen	**sich.**	Sie wünschen	**sich**	ein Buch.

§ 27 Die Relativpronomen (siehe auch § 49)

Relativpronomen sind **identisch mit dem bestimmten Artikel**.
Ausnahme: Dativ Plural + Genitiv.

Die Form des Relativpronomens leitet sich ab:

a) vom Bezugswort: Genus und Numerus übernehmen!

b) vom Verb oder von der Präposition im Relativsatz: Kasus übernehmen!

Dativ

Ich habe einen Mann gefunden, mit dem ich glücklich bin.

maskulin, Singular

	Nominativ	Akkusativ	Dativ	Genitiv
feminin	die	die	der	deren
maskulin	der	den	dem	dessen
neutrum	das	das	dem	dessen
Plural	die	die	denen	deren

Wo(r) + Präposition
Bezieht sich der Relativsatz auf ein Indefinitpronomen oder auf die Aussage des ganzen Hauptsatzes, verwendet man wo(r) + Präposition.

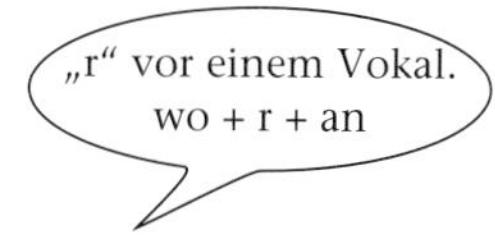

*Das ist alles, wo**ran** ich mich noch erinnern kann.*
(sich erinnern an + Akk.)

*Er hilft mir jedes Jahr im Garten, wo**für** ich ihm sehr dankbar bin.*
(dankbar sein für + Akk.)

Relativpronomen/Fragepronomen
wo**für** wo**ran** wo**rauf** etc.

Wir benutzen dieselbe Kombination in Fragesätzen:
Wofür interessierst du dich? Worauf freust du dich?

Die Adjektive

§ 28 Das Adjektiv im prädikativen Gebrauch

*Die Stühle sind **bequem**.*
*Den Teppich finde ich **langweilig**.*
*Ich finde die Film-Tipps **interessant**.*
*Als Lokführer muss man **flexibel** sein.*

Der Sessel ist bequem!

Das Gegenteil
groß ≠ klein interessant ≠ langweilig teuer ≠ billig bequem ≠ unbequem

§ 29 Die Deklination der Adjektive

1. Die Adjektivdeklination, Schritt für Schritt

1. Frage: Zu welcher **Gruppe*** gehört das Adjektiv?
2. Frage: **Genus/Numerus**: Ist das Nomen maskulin, feminin oder neutrum? Ist es Singular/Plural?
3. Frage: **Kasus**: Steht das Nomen im Nominativ, Akkusativ oder Dativ?

*** Die Gruppen 1–3:**
1. Bestimmter Artikel + Adjektiv + Nomen
2. Unbestimmter Artikel + Adjektiv + Nomen
3. Kein Artikel + Adjektiv + Nomen

Gruppe 1: Bestimmter Artikel* + Adjektiv + Nomen

*Oder: dieser, jener, mancher, welcher.
Plural: alle, beide, sämtliche

Singular	**feminin**	**maskulin**	**neutrum**
Nominativ	die rote Rose	der blaue Schuh	das schöne Haus
Akkusativ	die rote Rose	den blau**en** Schuh	das schöne Haus
Dativ	der rot**en** Rose	dem blau**en** Schuh	dem schön**en** Haus

Plural	**feminin**	**maskulin**	**neutrum**
Nominativ	die rot**en** Rosen	die blau**en** Schuhe	die schön**en** Häuser
Akkusativ	die rot**en** Rosen	die blau**en** Schuhe	die schön**en** Häuser
Dativ	den rot**en** Rosen	den blau**en** Schuhen	den schön**en** Häusern

Gruppe 2: Unbestimmter Artikel* + Adjektiv + Nomen

*Oder: kein, mein, dein, sein, ihr, unser, euer, ihr (im Singular)

Singular	**feminin**	**maskulin**	**neutrum**
Nominativ	(k)eine rote Rose	(k)ein blau**er** Schuh	(k)ein schön**es** Haus
Akkusativ	(k)eine rote Rose	(k)einen blau**en** Schuh	(k)ein schön**es** Haus
Dativ	(k)einer rot**en** Rose	(k)einem blau**en** Schuh	(k)einem schön**en** Haus

Plural	**feminin**	**maskulin**	**neutrum**
Nominativ	rote Rosen	blaue Schuhe	schöne Häuser
Akkusativ	rote Rosen	blaue Schuhe	schöne Häuser
Dativ	rot**en** Rosen	blau**en** Schuhen	schön**en** Häusern

Gruppe 3: Kein Artikel* + Adjektiv + Nomen

*Oder: einige, etliche, mehrere, zwei, drei etc.

Singular	**feminin**	**maskulin**	**neutrum**
Nominativ	heiß**e** Schokolade	frisch**er** Fisch	warm**es** Wetter
Akkusativ	heiß**e** Schokolade	frisch**en** Fisch	warm**es** Wetter
Dativ	heiß**er** Schokolade	frisch**em** Fisch	warm**em** Wetter

Plural	**feminin/maskulin/neutrum**
Nominativ	schön**e** Ferien
Akkusativ	schön**e** Ferien
Dativ	schön**en** Ferien

§ 30 Die Steigerung der Adjektive

1. Bildung der Steigerungsformen

Wussten Sie, dass die Menschen in Japan älter werden als anderswo?
Sie essen am gesündesten.

*Der Mann ist **alt**.* *Er ist **älter als** sein Bruder.*

*Er ist **der älteste** der drei Brüder.*
*Er ist **am ältesten**.*

2. Die Komparativ- und Superlativ-Formen

▶ Bei Adjektiven auf -t, -d, -tz, -z, -sch, -ss steht ein „e“ vor der Endung: *bekanntesten*

	Positiv ▶ **gleich ... wie**	**Komparativ** ▶ **...-er + als**	**Superlativ** ▶ **am + ...-sten**
Regelmäßige Formen, z. B.	schnell	schneller	am schnellsten
	weiß	weißer	am weißesten
	dauerhaft	dauerhafter	am dauerhaftesten
	bekannt	bekannter	am bekanntesten
	normal	normaler	am normalsten
Formen mit Umlaut, z. B.	groß	größer	am größten
	gesund	gesünder	am gesündesten
	lang	länger	am längsten
	alt	älter	am ältesten
Unregelmäßige Formen, z. B.	gut	besser	am besten
	viel	mehr	am meisten
	gern	lieber	am liebsten
	hoch	höher	am höchsten
	nah	näher	am nächsten

Die Adverbien

§31 Zeit-, Häufigkeits- und Ortsangaben

1. Zeitangaben (Wann?/Wie lange?)

heute morgen gestern jetzt lange gleich …

Hast du heute Zeit? – Nein, aber morgen.

2. Häufigkeitsangaben (Wie häufig?)

nie selten manchmal oft meistens immer fast nie immer öfter fast immer

3. Orts- und Richtungsangaben

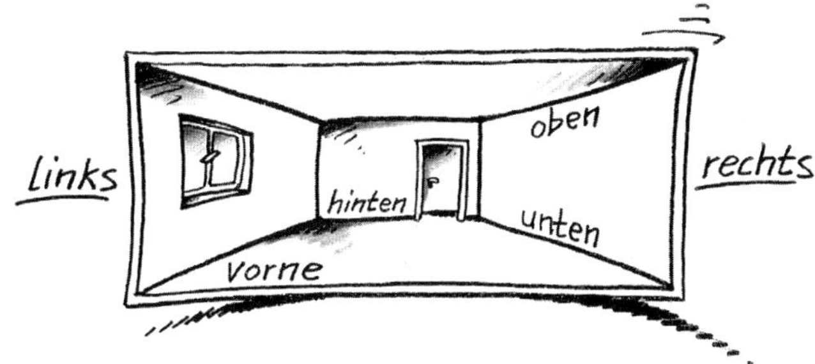

Wo finde ich den Kaffee?
Im nächsten Gang ***rechts oben****.*
Und die Milch finden Sie ***gleich hier vorne****.*
Wo finde ich ***hier*** *Computer? – Im dritten Stock. Fragen Sie* ***dort*** *einen Verkäufer.*
Ich steige die Treppe ***hinauf****.*

Wo? (Ich bin …)	Wohin? (Ich gehe …)	Woher? (Ich komme …)
links, hier links / **rechts**, hier rechts	**nach** links / **nach** rechts	**von** links / **von** rechts
oben, hier oben	nach oben, hinauf, herauf, hoch, aufwärts	von oben
unten, hier unten	nach unten, hinunter, herunter, runter, abwärts	von unten
hier (drüben / **dort** (drüben)	hierher, dorthin	von hier / von dort
vorne, hier vorne / **hinten**, dort hinten	nach vorne / nach hinten	von vorne / von hinten
überall	überallhin	von überall her
drinnen	hinein / herein	von drinnen
draußen	hinaus / heraus	von draußen
Also der Picasso hängt ***dort drüben, ganz links****.*	*Der Kellner geht* ***nach rechts*** *und dann* ***die Treppe hinunter****.*	*Ich komme gerade* ***von draußen****. Es ist eiskalt!*

§ 32 Die wichtigsten Präpositionen

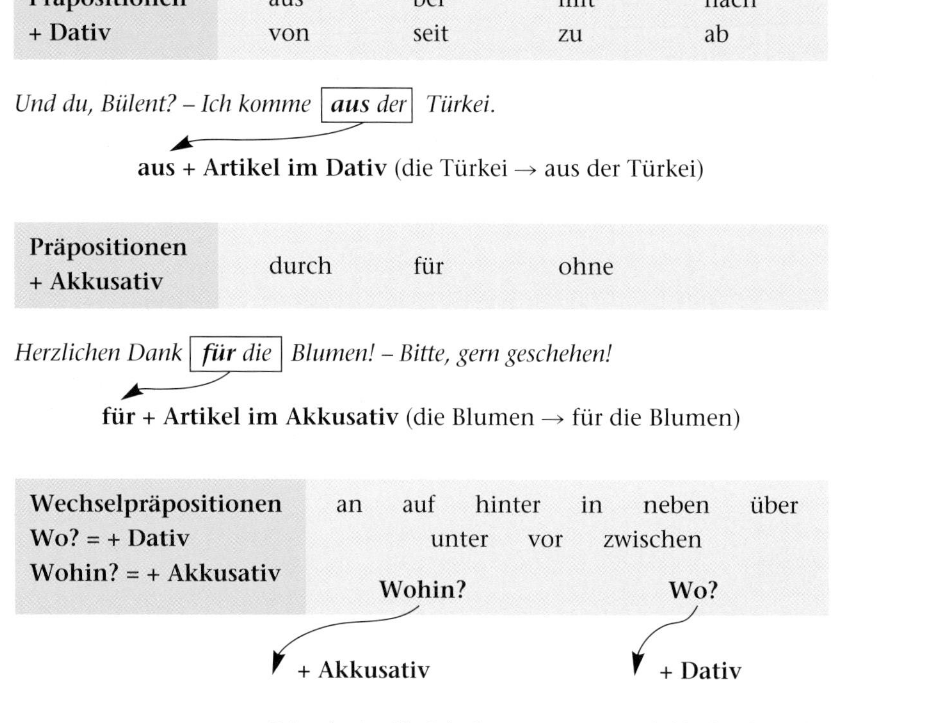

Präpositionen + Dativ	aus	bei	mit	nach
	von	seit	zu	ab

Und du, Bülent? – Ich komme ***aus** der* *Türkei.*

aus + **Artikel im Dativ** (die Türkei → aus der Türkei)

Präpositionen + Akkusativ	durch	für	ohne

Herzlichen Dank ***für** die* *Blumen! – Bitte, gern geschehen!*

für + **Artikel im Akkusativ** (die Blumen → für die Blumen)

Wechselpräpositionen Wo? = + Dativ Wohin? = + Akkusativ	an auf hinter in neben über unter vor zwischen

Wohin? → + Akkusativ

Wo? → + Dativ

+ Akkusativ	+ Dativ
*Ich gehe **in die** Schule.*	*Ich bin **in der** Schule.*
*Häng das Bild **an die** Wand!*	*So, jetzt hängt es **an der** Wand.*
*Leg das Buch **auf den** Tisch!*	*Jetzt liegt es **auf dem** Tisch.*

Präpositionen + Genitiv	außerhalb	innerhalb	unterhalb	trotz*	während*
	wegen*				

* *in der gesprochenen Sprache auch mit Dativ (siehe auch § 33, 3.)*

*Polizisten haben **innerhalb des** Staatsdienstes einen sicheren Arbeitsplatz.*

§ 33 Die Präpositionen – Bedeutung

1. Präpositionen: Ort oder Richtung

Woher?	Wo?	Wohin?
aus + Dativ / von + Dativ	**bei + Dativ / in + Dativ**	**nach + Dativ / zu + Dativ / in + Akkusativ**
Helga holt Anna **vom** Kindergarten ab. Bülent kommt **aus der** Türkei.	Sie ist Flugbegleiterin **bei der** Lufthansa. Kawena wohnt **in der** Schleißheimer Straße.	Martina fliegt oft **nach** Asien. Luisa möchte **zum** Mauermuseum. Er fährt **in die** Schweiz.

Die Wechselpräpositionen

Auf die Frage **Wo** ...? → Wechselpräposition + Dativ
Auf die Frage **Wohin** ...? → Wechselpräposition + Akkusativ

auf

über

unter

hinter

vor

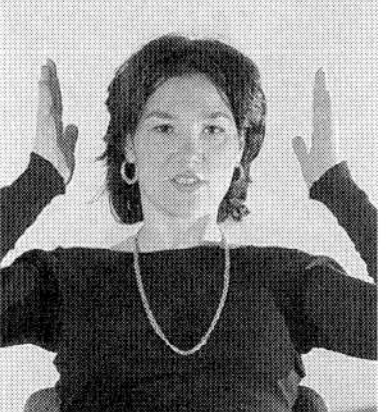
zwischen

neben

an

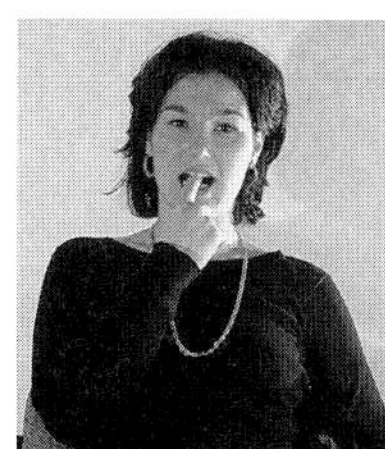
in

*Otto geht **unter den** Teppich.* *Jetzt ist Otto **unter dem** Teppich.*

2. Präpositionen: Zeit

am + Tag	Was möchtest du **am** Samstag machen?
am + Datum	Vera kommt **am** 12. Februar.
um + Uhrzeit	Der Film beginnt **um** 20 Uhr.
im + Monat	Julia hat **im** Juli Urlaub.
ab + Datum	Sie ist **ab (dem)** 24. August in Graz.
bis (zum) + Datum	Sie ist **bis (zum)** 31. August in Graz.
von ... bis + Tage	Sie hat **von** Montag **bis** Mittwoch Proben.
von ... bis + Uhrzeiten	Wir haben **von** 9 **bis** 13.30 Uhr Unterricht.
seit + Zeitangabe	Diana lernt **seit** sechs Monaten Deutsch.

3. Die Präpositionen für / von / mit / ohne / trotz / wegen

für	+ AKK	*Die Blumen sind **für** dich.*
von	+ DAT	*Sie sind **von** mir.*
mit	+ DAT	*Ich möchte **mit** dir ins Kino gehen.*
ohne	+ AKK	***Ohne** dich will ich nicht leben.*

trotz	+ GEN*	***Trotz** des schlechten Wetters findet das Open Air statt.*
wegen	+ GEN*	***Wegen** des starken Windes wurden die Zelte abgebaut.*

* *in der gesprochenen Sprache auch mit Dativ:*
Trotz dem schlechten Wetter ...
Wegen dem starken Wind ...

§ 34 Die Präpositionen – Kurzformen

Präposition + Artikel	Kurzform
an + dem	am
an + das	ans
bei + dem	beim
in + dem	im

Präposition + Artikel	Kurzform
in + das	ins
von + dem	vom
zu + der	zur
zu + dem	zum

Die Konjunktionen

§35 und / oder / aber / trotzdem / deshalb

Addition	Ich nehme ein Sandwich **und** ein Bier. Ich esse eine Pizza **und** Vera trinkt einen Apfelsaft.
Alternative	Nimmst du Kaffee **oder** Tee? Nimmst du Milch **oder** möchtest du lieber keine?
Kontrast	Ich trinke Kaffee, **aber** ohne Zucker. Ich habe Geburtstag, **aber** niemand kommt. Ich trinke Kaffee. **Trotzdem** bin ich müde.
Grund	Wir haben gespart. **Deshalb** haben wir jetzt Geld.

§36 als / wenn / weil / obwohl / sodass / damit / dass / ob

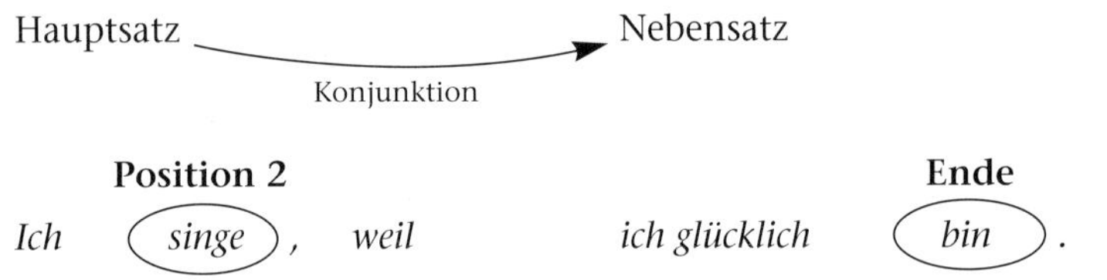

Sie geht spazieren, obwohl es regnet.

Zeit • **Vergangenheit:** *Zustand* oder *einmaliges Ereignis*	**Als** ich jung war, gab es noch keine E-Mails.
• **Vergangenheit:** *wiederholtes Ereignis*	**Wenn** wir jemandem geschrieben haben, mussten wir tagelang auf eine Antwort warten.
• **Gegenwart** oder **Zukunft:**	**Wenn** ich heutzutage sofort eine Antwort will, schreibe ich eine E-Mail.
Bedingung	**Wenn** es regnet, dann gehen wir nicht spazieren.
Grund	Ich singe, **weil** ich glücklich bin.
Gegengrund	Viele junge Leute wohnen bei den Eltern, **obwohl** sie schon arbeiten.
Folge	Der Hund schaute ihn **so** traurig an, **dass** er ihn sofort mitnahm. Das Haus ist klein, **sodass** die beiden nicht viel Platz haben.
Ziel/Absicht	Ich sollte den Hahn einsperren, **damit** man ihn nicht mehr krähen hört.
Erklärung / Information	Ich weiß, **dass** Zucker ungesund ist.
Indir. Frage (Verbfrage)	Weißt du, **ob** Peter schon zurück ist?
(W-Frage)	Können Sie mir sagen, **wo** das Hotel liegt?

Die Modalpartikeln

§ 37 Die Bedeutungen der Modalpartikeln

Modalpartikeln geben einem Satz einen subjektiven Akzent.

Bitten / Ratschläge freundlich machen

Geben Sie mir **doch mal** einen Tipp.
Geh **doch** in einen Verein!
Kommen Sie **bitte** mit.

stärker / schwächer machen

Na ja, die Wohnung ist **ganz** okay.
Die Wohnung ist **sehr** schön.
Schau mal, das Sofa ist **doch** toll!

ungenaue Angaben

Also, ich komme **so um** zehn Uhr.
Die Reise kostet **ungefähr** 2000 Euro.
(Ca. 95 %.) **Fast** alle haben hier einen Fernseher.
Über die Hälfte hat eine Mikrowelle.
Ich bin **etwa** zwei Jahre verheiratet.
Ich komme **etwas** später.
Er spricht **ein wenig/ein bisschen** Deutsch.

Fragen freundlich machen

Hast du **vielleicht** auch Tee?
Gebt ihr mir **mal** den Zucker?

Interesse zeigen

Wie alt sind **denn** ihre Kinder?
Wie geht's Ihnen **denn**?
Ist die Wohnung **denn auch** günstig?

Überraschung zeigen

Oh, das ist **aber** nett von dir!
Nein, wirklich?
Aber das ist **doch** nicht möglich!

Negatives freundlich sagen

Das ist **doch** altmodisch. (Ich finde es nicht toll.)
Ich finde das Sofa **nicht so** schön.
Es ist mir **zu** langweilig.
Wenigstens ist es nicht so teuer.
Eigentlich komme ich aus Rostock, aber ...

Die Zahlen

§ 38 Die Kardinalzahlen

0 bis 99							
0	null	10	zehn	20	zwanzig	30	dreißig
1	eins	11	elf	21	einundzwanzig	31	einunddreißig
2	zwei	12	zwölf	22	zweiundzwanzig	32	zweiunddreißig
3	drei	13	dreizehn	23	dreiundzwanzig		…
4	vier	14	vierzehn	24	vierundzwanzig	40	vierzig
5	fünf	15	fünfzehn	25	fünfundzwanzig	50	fünfzig
6	sechs	16	sechzehn	26	sechsundzwanzig	60	sechzig
7	sieben	17	siebzehn	27	siebenundzwanzig	70	siebzig
8	acht	18	achtzehn	28	achtundzwanzig	80	achtzig
9	neun	19	neunzehn	29	neunundzwanzig	90	neunzig

ab 100					
100	(ein)hundert	110	(ein)hundertzehn	1000	(ein)tausend
101	(ein)hunderteins		…	1001	(ein)tausend(und)eins
102	(ein)hundertzwei	200	zweihundert	1010	(ein)tausendzehn
103	(ein)hundertdrei	300	dreihundert	1120	(ein)tausendeinhundertzwanzig
104	(ein)hundertvier	400	vierhundert	1490	(ein)tausendvierhundertneunzig
105	(ein)hundertfünf	500	fünfhundert	5000	fünftausend
106	(ein)hundertsechs	600	sechshundert	10 000	zehntausend
107	(ein)hundertsieben	700	siebenhundert	100 000	(ein)hunderttausend
108	(ein)hundertacht	800	achthundert	1 000 000	eine Million
109	(ein)hundertneun	900	neunhundert	1 000 000 000	eine Milliarde

Die Zahlen von 13 bis 99 liest man von rechts nach links. *Beispiel:*

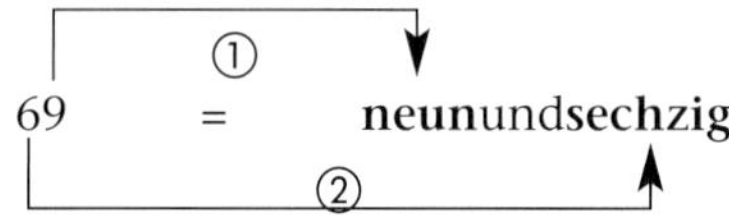

§ 39 Die Ordinalzahlen

die / der / das …					
1.	**erste**	7.	**siebte**	13.	dreizehnte
2.	zweite	8.	**achte**		…
3.	**dritte**	9.	neunte	20.	zwanzigste
4.	vierte	10.	zehnte	21.	einundzwanzigste
5.	fünfte	11.	elfte	100.	hundertste
6.	sechste	12.	zwölfte	1000.	tausendste

Die Ordinalzahlen bildet man so:

bis 19.:	Kardinalzahl + Endung **„-te“**
ab 20.:	Kardinalzahl + Endung **„-ste“**

§40 Die Zahlwörter

Eine Banane, bitte.

ein / eine	*Eine Banane, bitte.*
viel	*1000 Euro sind viel Geld.*
wenig	*10 Euro sind wenig Geld.*
einmal / zweimal	*Ich gehe zweimal im Monat ins Kino.*

1. Jahreszahlen

Jahreszahlen bis 1099 und ab 2000 spricht man wie Kardinalzahlen.
813 → 8 hundert 13 2010 → 2 tausend 10

Jahreszahlen zwischen 1100 und 1999 spricht man nicht wie Kardinalzahlen, sondern man zählt die Hunderter.
1492 → 14 hundert 92 1999 → 19 hundert 99

Jahreszahlen stehen **ohne** die Präposition **„in“**.
Herr Haufiku ist 1969 geboren.
Aber: **Im** Jahr 1997 ist er nach Deutschland gekommen.

2. Zahlen mit Komma

Zahlen mit Komma spricht man so aus:
3,5 → drei Komma fünf
3,52 → drei Komma fünf zwei

3. Prozentzahlen

Prozentzahlen spricht man so aus:
35 % → fünfunddreißig Prozent
3,5 % → drei Komma fünf Prozent
3,52 % → drei Komma fünf zwei Prozent

4. Bruchzahlen

$^{1}/_{2}$ → die Hälfte
$^{1}/_{3}$, $^{2}/_{3}$ → ein Drittel, zwei Drittel
$^{1}/_{4}$, $^{3}/_{4}$ → ein Viertel, drei Viertel

5. Preise

Preise spricht man so aus:
9,35 € → Neun Euro fünfunddreißig
825,99 € → Achthundertfünfundzwanzig Euro neunundneunzig

§41 Datum und Uhrzeit

	Uhrzeit	in der Umgangssprache
	10.00 Uhr	(genau) zehn
	10.05 Uhr	fünf nach zehn
	10.10 Uhr	zehn nach zehn
	10.15 Uhr	Viertel nach zehn
	10.20 Uhr	zwanzig nach zehn
	10.25 Uhr	fünf vor halb elf
	10.30 Uhr	halb elf
	10.35 Uhr	fünf nach halb elf
	10.40 Uhr	zwanzig vor elf
	10.45 Uhr	Viertel vor elf
	10.50 Uhr	zehn vor elf
	10.55 Uhr	fünf vor elf
	11.00 Uhr	(genau) elf

Wie spät ist es, bitte?

Es ist fünf nach zehn.

Wann beginnt das Fest?

Es beginnt um halb elf.

Schon zehn vor elf!

Datum	Heute ist ...	Ich komme ...
1. 1.	**der** erste Januar	**am** erste**n** Januar
2. 2.	**der** zweite Februar	**am** zweite**n** Februar
3. 3.	**der** dritte März	**am** dritte**n** März
4. 4.	**der** vierte April	**am** vierte**n** April
5. 5.	**der** fünfte Mai	**am** fünfte**n** Mai
6. 6.	**der** sechste Juni	**am** sechste**n** Juni
7. 7.	**der** siebte Juli	**am** siebte**n** Juli
8. 8.	**der** achte August	**am** achte**n** August
9. 9.	**der** neunte September	**am** neunte**n** September
10. 10.	**der** zehnte Oktober	**am** zehnte**n** Oktober
11. 11.	**der** elfte November	**am** elfte**n** November
12. 12.	**der** zwölfte Dezember	**am** zwölfte**n** Dezember

Mein Geburtstag ist am sechsten Januar und heute ist erst der dritte. Noch dreimal schlafen also ...

Die Wortbildung

§42 Komposita

Nomen + Nomen	Adjektiv + Nomen	Verb + Nomen
die Kleider (Pl.) + der Schrank → **der Kleiderschrank**	hoch + das Bett → **das Hochbett**	schreiben + der Tisch → **der Schreibtisch**
die Wolle + der Teppich → **der Wollteppich**	spät + die Vorstellung → **die Spätvorstellung**	stehen + die Lampe → **die Stehlampe**

Das Grundwort steht am Ende und bestimmt den Artikel. *der Schrank – **der** Kleider**schrank***

Das Bestimmungswort (am Anfang) hat den Wortakzent. *der K**lei**derschrank*

Einige Komposita brauchen ein „s" dazwischen. *der Geburtstag, das Lieblingsessen*

§43 Vorsilben und Nachsilben

1. Die Wortbildung mit Nachsilben

-isch für Sprachen:
*England – Engl**isch**, Indonesien – Indones**isch**, Japan – Japan**isch**, Portugal – Portugies**isch***

-in für weibliche Berufe und Nationalitäten:
*der Arzt – die Ärzt**in**, der Pilot – die Pilot**in**, der Kunde – die Kund**in** …*
*der Spanier – die Spanier**in**, der Japaner – die Japaner**in**, der Portugiese – die Portugies**in***

-isch / -ig / -lich für Adjektive:
*prakt**isch**, richt**ig**, günst**ig**, freund**lich***

-heit / -keit / -ung / -ion für Nomen:
*die Gesund**heit**, die Frei**heit**, die Sehenswürdig**keit**, die Möglich**keit**, die Erfahr**ung**, die Veranstalt**ung**, die Informat**ion***

2. Die Wortbildung mit Vorsilben

un- als Negation bei Adjektiven:

praktisch	–	***un**praktisch*	*≈ nicht praktisch*
bequem	–	***un**bequem*	*≈ nicht bequem*

Viele Adjektive negiert man mit **nicht**, z. B. *nicht teuer, nicht billig, nicht viel …*

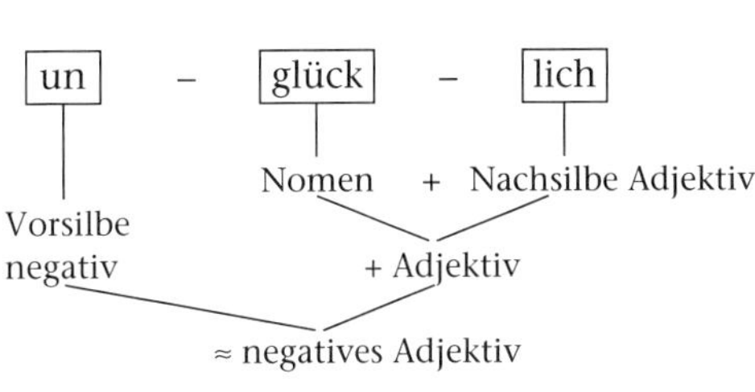

III Der Satz

§44 Der Aussagesatz

Im Aussagesatz steht das Verb auf Position 2.

Position 1	Position 2	
Das Sofa	*finde*	*ich* (Subjekt) *toll.*
Ich (Subjekt)	*kaufe*	*doch kein Sofa für 999 Euro!*
Heute	*kaufe*	*ich* (Subjekt) *euch kein Eis.*
Andrea und Petra (Subjekt)	*arbeiten*	*auch bei TransFair.*

▶ Es gibt auch kurze Sätze ohne Subjekt und Verb: *Woher kommst du? –* ***Aus Australien.***
Was möchten Sie trinken? – ***Einen Apfelsaft, bitte.***

§45 Der Fragesatz

Es gibt **W-Fragen** und **Ja/Nein-Fragen**:

Woher kommst du?
– Aus ...

Kommst du aus Italien?
– Ja (, aus Rom).
Nein, aus Spanien.

! In der W-Frage steht das Verb auf Position 2, in der Ja/Nein-Frage steht das Verb auf Position 1.

Position 1	Position 2		
Woher	*kommst*	*du* ?	**W-Frage**
Kommst	*du*	*aus Australien?*	**Ja/Nein-Frage**

§46 Der indirekte Fragesatz

Mit dem indirekten Fragesatz können wir eine Frage höflicher machen oder eine Frage wiederholen. Die eigentliche Frage wird in einem Nebensatz verpackt, der mit dem W-Fragewort oder mit „ob" beginnt.

! Hauptsatz + indirekter Fragesatz → Verb am Ende.

W-Frage: Wo ist der Bahnhof?

Können Sie mir sagen, ***wo*** *der Bahnhof ist?*

W-Frage mit Präposition: Auf welchem Gleis fährt der Zug ab?

Weißt du, ***auf welchem*** *Gleis der Zug abfährt?*

Verb-Frage: Ist der Zug schon abgefahren?

Ob *der Zug schon abgefahren ist? Keine Ahnung!*

§47 Der Imperativ-Satz

! Im Imperativ-Satz steht das Verb auf Position 1.

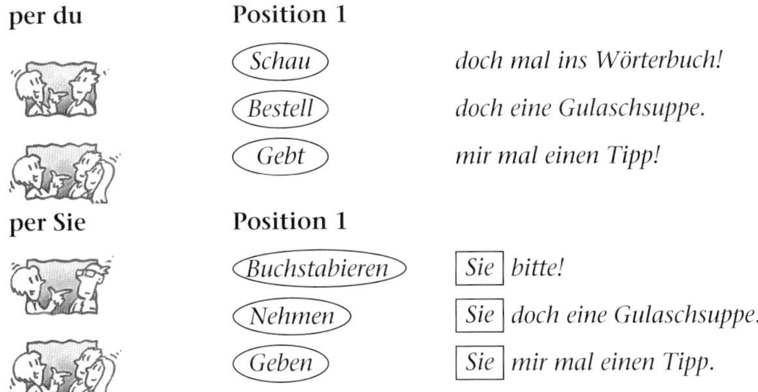

per du	**Position 1**	
	Schau	*doch mal ins Wörterbuch!*
	Bestell	*doch eine Gulaschsuppe.*
	Gebt	*mir mal einen Tipp!*
per Sie	**Position 1**	
	Buchstabieren	*Sie bitte!*
	Nehmen	*Sie doch eine Gulaschsuppe.*
	Geben	*Sie mir mal einen Tipp.*

Die Wörter ***doch***, ***mal*** oder ***bitte*** machen Imperativ-Sätze höflicher.

§48 Die Satzteile

Der deutsche Satz

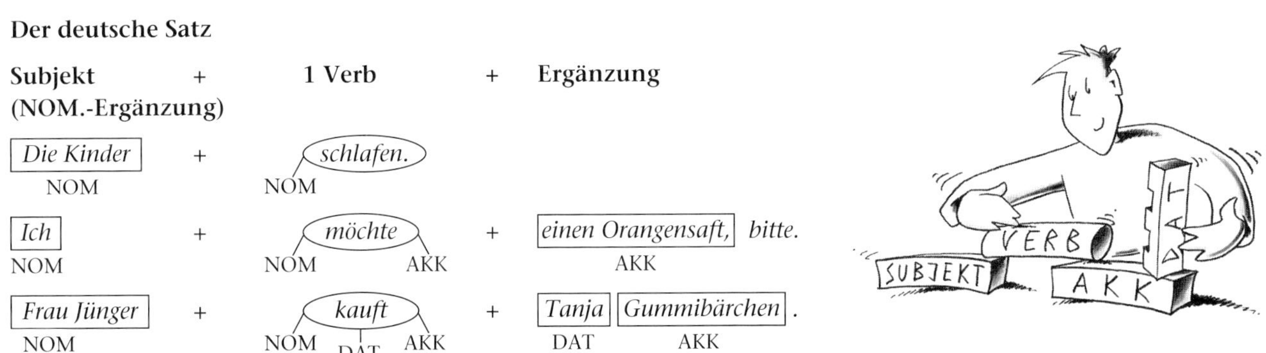

Subjekt (NOM.-Ergänzung)	+	**1 Verb**	+	**Ergänzung**
Die Kinder (NOM)	+	*schlafen.* (NOM)		
Ich (NOM)	+	*möchte* (NOM, AKK)	+	*einen Orangensaft,* (AKK) *bitte.*
Frau Jünger (NOM)	+	*kauft* (NOM, DAT, AKK)	+	*Tanja* (DAT) *Gummibärchen* (AKK).

§49 Das Satzgefüge

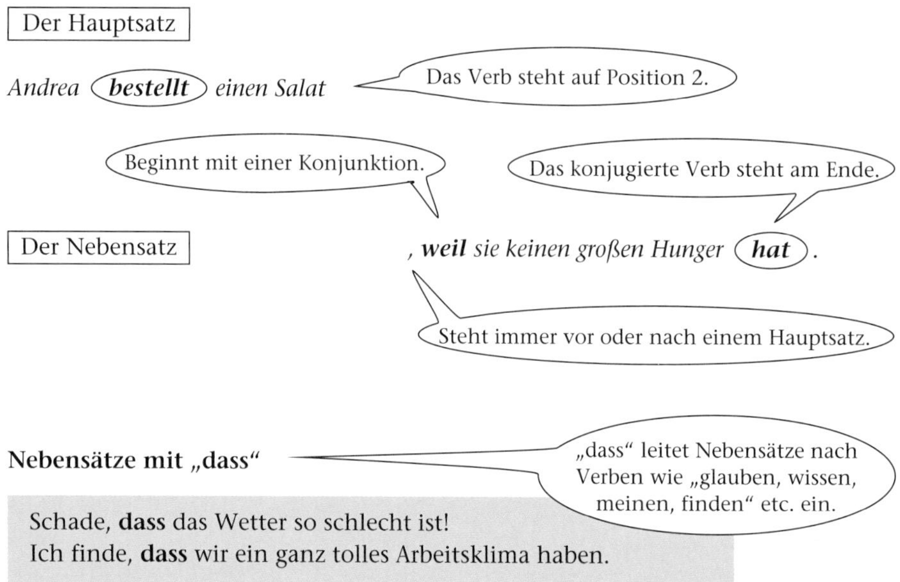

Nebensätze mit „dass“

Schade, **dass** das Wetter so schlecht ist!
Ich finde, **dass** wir ein ganz tolles Arbeitsklima haben.

Nebensätze des Grundes mit „weil“, „da“ und des Gegengrundes mit „obwohl“ (§ 36)

Heute finden viele Menschen keinen Partner, **weil** ihre Erwartungen sehr hoch sind.
Nach Mallorca zu reisen war einfacher als an den Müggelsee, **obwohl** der nur ein paar Kilometer entfernt liegt.

Temporalsätze mit „während*, wenn, als, bevor, nachdem, seit und bis“ (§ 36)

Gleichzeitigkeit:	**Während** ich ins Taxi stieg, gab es an der Rezeption einen peinlichen Auftritt. **Wenn** ich klingle, kommst du runter, ok?
Abfolge:	Sie machte eine Ausbildung als Lehrerin, **bevor** sie Kunst studierte. **Nachdem** sie geheiratet hatten, zogen sie ins Künstlerdorf um. **Als** das Licht anging, sangen alle „Happy Birthday!“
Anfang/Ende:	**Seit** er arbeitslos ist, hängt er nur noch lustlos zu Hause rum. Ich bin am Kontrollpunkt geblieben, **bis** es Morgen wurde.

* „während“ kann auch einen Gegensatz ausdrücken.

▶ „während“, „seit“ und „bis“ können auch eine Präposition sein. (§ 32)

Konditionalsätze mit „wenn“ (§ 36)

Wenn es morgen regnet, (dann) hole ich dich vom Bahnhof ab.
Heute würde ich zu Hause feiern, **wenn** ich die Wahl hätte.

Relativsätze (§ 27)

Irgendwo gibt es einen Menschen, **der** wirklich zu mir passt.
Er wird der sein, **mit dem** ich den Rest meines Lebens verbringe.

Finalsätze

Martin verließ Freitagabend das Büro, **um** aufs Land **zu** fahren.
Meine Eltern haben mich mitgenommen, **damit** ich in Istanbul das Examen mache.

Konsekutivsätze mit „sodass / so …, dass“

Der Besitzer des Hundes ist ziemlich klein, **sodass** die beiden ein lustiges Paar sind.
Der Hund schaute ihn **so** traurig an, **dass** er ihn sofort mitnahm.

Infinitivsätze mit „zu“ (§ 16)

Ich habe keine Lust, viel Geld für ein Auto aus**zu**geben.
Es fällt uns manchmal schwer, Rolf **zu** verstehen.
Ich nehme zum Einkaufen Stofftaschen mit, anstatt immer Plastiktaschen **zu** kaufen.
Viele Leute plappern so was einfach nach, ohne darüber nach**zu**denken.

Indirekte Fragesätze (§ 46)

Können Sie mir sagen, **wann** Sie ankommen?
Er wollte wissen, **ob** wir einen Hund besitzen.

Wir können Sätze kombinieren:

Hauptsatz + Hauptsatz

Roman bestellt eine Suppe. Andrea bestellt einen Salat.

Roman bestellt eine Suppe **und** *Andrea (bestellt) einen Salat.*

Sie lebt in San Francisco. Sie lebt in Irland.

Sie lebt in San Francisco **oder** *(sie lebt) in Irland.*

Er kommt nicht oft zum Unterricht. Er hat gute Noten.

Er kommt nicht oft zum Unterricht, **aber** *er hat gute Noten.*

Er kommt nicht oft zum Unterricht. **Trotzdem** *hat er gute Noten.*

Sie kommt immer zum Unterricht. **Deshalb** *spricht sie schon sehr gut Deutsch.*

Hauptsatz + Nebensatz

Andrea bestellt einen Salat. Sie hat keinen großen Hunger.

Andrea bestellt einen Salat, **weil** *sie keinen großen Hunger* ***hat****.*

Sie bleiben im Elternhaus. Sie haben genug Geld für eine eigene Wohnung.

Sie bleiben im Elternhaus, **obwohl** *sie genug Geld für eine eigene Wohnung haben.*

Komm mich doch mal besuchen. Wenn du Zeit hast.

Komm mich doch mal besuchen, **wenn** *du Zeit hast.*

Ich war 17. Ich hatte sehr oft Streit mit meinen Eltern.

Als *ich 17 war, hatte ich sehr oft Streit mit meinen Eltern.*

Es ist wichtig, **dass** *Eltern und Kinder über alles reden können.*

Ich habe immer ein Handy dabei, **sodass** *ich immer erreichbar bin.*

Ich weiß nicht, **ob** *wir unsere Traumwohnung bekommen.*

Wir möchten vom Makler wissen, **wann** *wir die Wohnung haben können.*

Quellenverzeichnis

Umschlagfoto mit Freya Canesa, Susanne Höfer und Robert Wiedmann: Gerd Pfeiffer, München

Kursbuch:

Seite 1: alle Fotos: © Migros Genossenschaftsbund, Zürich
Seite 2: Foto links oben: Claus Breitfeld, Madrid; Foto rechts: Erna Friedrich, Ismaning; alle anderen: Gerd Pfeiffer, München
Seite 4: Foto: Gerd Pfeiffer, München
Seite 5: © MEV/MHV
Seite 10: Foto 1: © Jenner Zimmermann, München; Fotos 2, 4 + 5: Gerd Pfeiffer, München; Foto 3: Bauerntheater Ismaning; Foto 6: Katja Gartz, München
Seite 11: Foto: Anja Schürmann, München
Seite 12: © Jenner Zimmermann, München
Seite 13: Cartoon: Tom Körner, Berlin
Seite 15: Bild oben links von Richard Oelze (© Elisabeth Schargo von Alten, Aerzen/Foto über: Arthothek, Weilheim; Foto rechts oben: Filmfoto aus Nosferatu; alle anderen: Werner Bönzli, Reichertshausen
Seite 18: A: © Mauritius/Hubatka; B: MHV-Archiv (Dieter Reichler); D: Werner Bönzli, Reichertshausen; F: © MEV/MHV; G: © Globus Infografik GmbH, Hamburg
Seite 20: Foto: © Mauritius/Hubatka; Karten: Heidenhain/Fährmann, Bildkarten für den Sprachunterricht, Max Hueber Verlag
Seite 21: Foto: Deutsches Institut für Filmkunde, Frankfurt; Liedtext: M.C. Krüger © 1952 by EDITION SUEDROPA (alle Rechte für die Welt)
Seite 22: Foto A + B: Werner Bönzli, Reichertshausen; C: MHV-Archiv; Foto D: © Visum/W. Steche; Foto E: © Visum/J. Pedrol; F: mit freundlicher Genehmigung von Herrn Hanak, Weilheim © Werner Meidinger, München
Seite 25: Cartoon: cartoonexpress, Martin Guhl, Duillier/Schweiz
Seite 27: Foto: © argum/T. Einberger; Hintergrundfoto: Frank Hutter, München
Seite 28: Foto 1 + 4: Gerd Pfeiffer, München; Foto 2: Young-Soon Cho, München; Foto 3: Thorsten Jansen, Frankfurt
Seite 29: Foto 1 + 3 + 5: Quirin Leppert; Foto 2: Harald Schröder, Frankfurt; Foto 4: Alpaslan Bayramli, München; textunterlegtes Foto: Kurverwaltung, Föhr
Seite 30: Text 1, 3 + 5 aus: Brigitte 13/97, Picture Press, Hamburg; Text 2 aus: Journal Frankfurt; Text 4 + 6 aus: Spiegel Special 06/99, Spiegel Verlag, Hamburg
Seite 32: Text nach Marie Luise Kaschnitz *Das Haus der Kindheit* © 1956 Claassen Verlag in der Ullstein Buchverlage GmbH, Berlin; Foto: DIZ Süddeutscher Verlag, Bilderdienst, München (© R. Clausen)
Seite 33/34: Fotos von: Zeit/Leben, Berlin: 1: © Thomas Rabsch; 2: Manfred Klimek; 3: Jim Rakete; Texte aus: Zeit/Leben-Serie *Ich habe einen Traum* © 1: Marc Kayser; 2: Barbara Bürer
Seite 36: Foto: DIZ Süddeutscher Verlag, Bilderdienst, München (© Thomas Machowina); Text aus: Zeit/Leben-Serie *Ich habe einen Traum* © 1: Marc Kayser
Seite 37: Foto: Maikäfer Musik Verlagsgesellschaft mbH, Berlin; Text: „Alle Lieder" Maikäfer Musik Verlagsgesellschaft mbH, Berlin – Chanson Edition Reinhard Mey, Berlin; Cartoon: © Oswald Huber, CCC, München
Seite 39/40: Fotos + Texte aus: Women & Work 1/98, Allegra; Foto München: Beatrice Glass für Allegra; Sao Paolo: Rogerio Assis für Allegra; Tokio: Wakana Tanabe für Allegra
Seite 42: Foto links: © Studiosus Reisen GmbH, München; Foto Mitte: Polizeipräsidium München Pressestelle © Peter Reichl;
Foto rechts: © MEV/MHV; Text 1 + 2 aus: Brigitte 9/94: Brigitte Dossier – 50 interessante Berufe, Picture Press, Hamburg
Seite 43: Foto: © Keystone Press AG, Zürich; Text aus: Stern/Start 1/98, Picture Press, Hamburg
Seite 44: Fotos 1 + 2: Adam Pentos, München; alle anderen: Gerd Pfeiffer, München; gekürzter Text von Claudia Ten Hoevel aus: TV Hören und Sehen 41/98, Heinrich Bauer Programmzeitschriften Verlag
Seite 46: Frisör: Musik von Thomas Dürr, Text von Udo Schöbel © by EMI QUATTRO MUSIK-VERLAG GmbH, Hamburg (50 %) / Manuskript
Seite 48: Foto: Beate Blüggel, Köln
Seite 49: Cartoon aus: „Horst" von Karsten Weyershausen © wey, Lappan Verlag, Oldenburg 2005

Arbeitsbuch:

Seite 57: Fotos s. S. 2

Seite 60: Text: *Ein Frommer sucht die Frömmlerin* (leicht geändert und gekürzt) von Christian Nürnberger aus: Spiegel Special, Nr. 5/1998, S. 64-67

Seite 61: Gedicht aus: Hans Manz, Die Welt der Wörter, 1991 Beltz & Gelberg, Weinheim

Seite 69: Text *Sternzeichen* aus: Rafik Schami, Gesammelte Olivenkerne. Aus dem Tagebuch der Fremde © Carl Hanser Verlag, München–Wien

Seite 95: Foto: Russell Underwood, London

Seite 96: Text aus: Brigitte 21/97, Picture Press, Hamburg

Seite 97: Fotos s. S. 28

Seite 98: Foto: DIZ Süddeutscher Verlag, Bilderdienst, München (Hipp-Foto); gekürzter Text *Heimat ist ...* aus: Spiegel Spezial 6/99

Seite 99: Fotos: MHV-Archiv (Dieter Reichler/Franz Specht)

Seite 103: Foto 1: © MEV/MHV; Foto 2: Werner Bönzli, Reichertshausen; alle anderen: Gerd Pfeiffer, München

Seite 106: Foto: Russell Liebmann, Berlin

Seite 112: Foto: © PhotoDisc/MHV

Seite 116: Umfrage von Renate Giesler aus Brigitte Special Job & Karriere, Picture Press, Hamburg; die Fotos wurden von den interviewten Personen privat zur Verfügung gestellt

Seite 120: Bewerbung Falsch/Richtig aus: Start 1/98, Marlen Theiß/Stern, Picture Press, Hamburg

Seite 157: Fotos: Werner Bönzli, Reichertshausen